CLÉRAMBARD

MARCEL AYMÉ

CLÉRAMBARD

pièce en 4 actes

BERNARD GRASSET, ÉDITEUR
61, RUE DES SAINTS-PÈRES, 61
PARIS (VIe)

IL A ÉTÉ TIRÉ DE CET OUVRAGE :
CENT QUATRE-VINGT-DOUZE EXEMPLAIRES
SUR VÉLIN PUR FIL NUMÉROTÉS VÉLIN
PUR FIL 1 A 180 ET I A XII ET QUATRE
CENT QUATRE-VINGTS EXEMPLAIRES SUR
ALFA NUMÉROTÉS ALFA 1 A 450 ET
I A XXX.

Le dessin qui orne la couverture est de
JEAN-DENIS MALCLÈS

CLÉRAMBARD

a été présenté le 13 mars 1950
à la Comédie des Champs-Elysées.

Mise en scène par Claude Sainval,
dans les décors et dans les costumes de Jean-Denis Malclès.

DISTRIBUTION PAR ORDRE D'ENTRÉE EN SCÈNE :

Vicomte Octave de Clérambard....	ROBERT LOMBARD.
Comtesse Louise de Clérambard..	HUGUETTE DUFLOS.
Madame de Léré..............	MARCELLE HAINIA.
Comte Hector de Clérambard......	JACQUES DUMESNIL.
Le Curé....................	GEORGES CUSIN.
Le Moine - Saint François d'Assise.	CLAUDE SAINVAL.
La Langouste................	MONA GOYA.
Madame Galuchon.............	MARGUERITE FONTANES.
Evelyne Galuchon............	DANIÈLE SELLER.
Etiennette Galuchon..........	SYLVINE DELANNOY.
Brigitte Galuchon............	MARIE-THÉRÈSE RIVAL.
Maître Galuchon.............	LÉONCE CORNE.
Le premier Dragon...........	JEAN VALLIENNE.
Le deuxième Dragon	ROGER LAURAN.
Le troisième Dragon	ROBERT BAZIL.
Le Docteur.................	JULIEN BARROT.

ACTE PREMIER

Le décor représente une grande pièce dans l'hôtel particulier des Clérambard. Côté jardin, deux portes. Côté cour, une porte et une fenêtre, entre lesquelles est placé un bahut surmonté d'un portrait. Au fond, grande cheminée à hotte. Au premier plan, quatre métiers à tricoter. Fauteuils et canapé ont été repoussés vers le fond. Au milieu de la pièce, table basse sur laquelle sont entassés des pulovères.

SCÈNE I

La comtesse de Clérambard, sa mère Mme de Léré, son fils Octave sont assis chacun devant un métier à tricoter et travaillent. Le quatrième métier est inoccupé.

OCTAVE, *s'arrêtant de travailler*. — Je n'en peux plus. Je suis éreinté, abruti.

LOUISE. — Octave, mon chéri, faites un effort. Je vous le demande dans votre intérêt.

OCTAVE. — Non, maman, je ne peux pas. Je ne vois même plus mon tricot.

Et puis, j'en ai assez. Et vous aussi, toutes les deux, vous en avez assez !

Mme DE LÉRÉ. — Ah ! mon pauvre enfant, moi j'en ai par-dessus la tête !

OCTAVE. — Alors ? Vous voyez bien ! Et si encore je mangeais à ma faim ! Il y a des moments où la tête me tourne. Je suis sans forces. Non, vraiment, je n'en peux plus !

LOUISE. — Octave, votre père va rentrer et il est dans un de ses mauvais jours. S'il vous surprend à flâner, il fera encore une colère.

Mme DE LÉRÉ. — Ça, on peut en être sûr. Les colères, c'est ce que ton mari réussit le mieux. Lui, au moins, il a cette distraction. Sans compter le plaisir qu'il éprouve à disposer de nous tous comme d'un bétail, parce qu'enfin il ne s'en prive pas.

LOUISE. — Soyez juste, maman, Hector se tue au travail. Hier encore, il a veillé jusqu'à quatre heures du matin. S'il est irritable, c'est qu'il est fatigué et inquiet. Pensez à tous les soucis qui l'accablent, aux menaces toujours suspendues sur sa tête et sur les nôtres.

Mme DE LÉRÉ. — Ton mari a toujours été un être égoïste et brutal, même quand vous étiez fiancés et qu'il avait encore de quoi vivre à ne rien faire. Est-ce qu'il s'est jamais comporté comme un fiancé ? Est-ce qu'il a jamais eu pour toi une attention, un mot de tendresse ? Je suis sûr qu'il te témoignait moins d'égards qu'à ses chiens et à sa jument.

LOUISE, *irritée*. — Vous oubliez que vous m'avez vous-même jetée dans ses bras sans prendre mon avis. S'il était l'homme que vous dites, pourquoi ne m'avoir pas avertie alors ? A présent, il est trop tard... Mais vous me faites dire des choses que je n'ai jamais pensées, qui ne m'ont même pas effleurée, car depuis près de vingt-cinq ans que nous sommes mariés, pas une fois je n'ai regretté d'avoir épousé Hector.

OCTAVE. — Non, maman, ne vous reprenez pas. Vous aviez raison tout à l'heure. Il est trop tard pour vous et trop tard pour moi puisque j'ai eu le malheur de naître, et de naître vicomte de Clérambard. Si je n'étais pas le rejeton d'une aussi illustre famille, j'aurais pu, au lieu de mener une vie de paria dans cette demeure historique, devenir employé de commerce, manger à ma faim, aller au café, au cinéma... sortir ! Ah ! être commis de magasin... valet de chambre... Etre employé du gaz !

(Bruit d'un pas à l'extérieur, Octave se remet au travail).

SCÈNE II

Entre le comte de Clérambard, vêtu d'une vieille robe de chambre et coiffé d'un melon.

CLÉRAMBARD. — Je viens de tuer un chat. Je l'ai mis à la cuisine. On le mangera demain à midi.

> (*Il s'assied devant le quatrième métier et se met au travail*).

Mme DE LÉRÉ. — Ah! Encore du chat! Ce sera le troisième que vous nous aurez fait manger cette semaine. Vous pourriez trouver autre chose pour soutenir votre personnel.

CLÉRAMBARD. — Vous êtes bien difficile, ma belle-mère. Pourtant M. de Léré, votre époux tant regretté, ne vous a pas habituée à une trop bonne chère. La preuve en est qu'il m'a fallu épouser votre fille sans dot. Oui, sans dot, sans un sou, sans même un trousseau ou une paire de draps !

Mme. DE LÉRÉ. — Au moins n'avait-elle pas de dettes.

CLÉRAMBARD, *il se lève et donne un coup de gueule.* — Qu'est-ce que vous dites ? Qu'est-ce que vous avez l'air de sous-entendre ? Allons, parlez !

LOUISE. — Hector... Nous sommes pauvres, c'est entendu, et pauvres n'est pas assez dire. Mais nous n'en sommes tout de même pas réduits à manger du chat.

CLÉRAMBARD. — Vous êtes idiote, ma pauvre femme, comme toujours. Et pourquoi ne pas manger du chat ? En 1457, mon aïeul Onuphre de Clérambard, assiégé dans la place de Blémont, a mangé du rat et du hibou. Et croyez que s'il en avait eu à suffisance, il n'aurait jamais capitulé !

LOUISE. — Votre aïeul a été admirable, mais je pense qu'il ne faisait pas son ordinaire de rat ni de hibou. S'il s'est résolu à en manger, c'est qu'il était assiégé.

CLÉRAMBARD. — Moi aussi, je suis assiégé ! Le château de mes pères a été vendu à l'encan, toutes mes terres y ont passé. Et dans le vieil hôtel des comtes de Clérambard, où j'ai dû me replier avec les miens, je suis assiégé par les créanciers, les huissiers, les porteurs d'hypothèques. Je me défends pied à pied à force de labeur, en espérant le miracle qui préserverait cette demeure de l'injure de tomber dans des mains étrangères. Pour sauver ces vieilles pierres, j'ai vendu mes meubles, j'ai condamné ma famille aux travaux forcés ; devenu tricoteur, emballeur, livreur, je suis encore le contremaître que vous haïssez.

LOUISE. — Voyons, Hector, vous savez bien qu'ici personne n'a de haine contre vous et que vous pouvez au contraire compter sur notre affection à tous.

CLÉRAMBARD. — Demandez donc à ma belle-mère ce qu'elle en pense. Demandez à mon fils !... Je sais de quoi je parle et mes prisonniers, je les connais. Parfaitement, mes prisonniers. Couché à deux heures du matin et levé à cinq, ce n'était pas assez d'être le plus misérable des forçats, il m'a fallu être garde-chiourme ! Oui, garde-chiourme ! Et vous voulez m'empêcher de manger du chat ?

Mme DE LÉRÉ. — Ah ! Mangez donc du chat! Et mangez tout ! Je vous donne ma part.

Clérambard. — Et malgré tous mes efforts, je perds du terrain. La situation s'aggrave de jour en jour. Je n'en finis pas de boucher des trous, on me presse de tous les côtés et les créanciers se multiplient comme une portée de souris.

Mme de Léré. — Je ne vous le fais pas dire. Si vous vendiez cette bicoque à courants d'air où il y a plus de place qu'il n'en faut pour cinquante personnes, nous pourrions enfin respirer.

Clérambard. — Cette demeure est dans ma famille depuis plus de quatre cents ans.

Mme de Léré. — Est-ce que ça ne vous suffit pas? Il me semble que quand on possède une chose depuis quatre siècles, on doit en être fatigué.

Clérambard. — Du reste, si je la vendais, il ne me resterait pas, une fois les créanciers payés, de quoi nous faire vivre plus de six mois.

Mme DE LÉRÉ. — Six mois de vacances! Ah! Vendez-la sans tarder. Six mois de repos... de vraie vie...

CLÉRAMBARD. — Silence ! Ce n'est pas en rêvant qu'on travaille !

(*Octave s'affaisse sur son métier*).

LOUISE. — Mon Dieu ! Il se trouve mal ! Octave !

Mme DE LÉRÉ. — Octave! Mon chéri!...

CLÉRAMBARD. — Restez à vos places ! Je vous dis de rester à vos places, vous m'avez compris ? Quant à Octave, je fais le nécessaire.

(*Il va à Octave, le redresse sur sa chaise et lui administre une paire de claques*).

CLÉRAMBARD. — Ça va mieux ? (*Pas de réponse. Nouvelle paire de claques*). Allons, au travail !

(*Octave se remet au travail. Clérambard se rassied*).

LOUISE. — Oh ! Hector ! Vous n'allez pas l'obliger à travailler maintenant. Laissez-le se reposer.

CLÉRAMBARD. — Je sais mieux que vous comment on doit s'y prendre avec lui. Octave est une nature indolente. Il a besoin d'être secoué.

Mme DE LÉRÉ. — Brute ! C'est révoltant ! Vous êtes une brute !

LOUISE. — Hector, cet enfant est surmené. Le travail qu'il fournit est au-dessus de ses forces. A chaque instant, la tête lui tourne. Il tient à peine debout. Il est épuisé.

Mme DE LÉRÉ. — Epuisé et écœuré,

surtout. Comment ne le serait-il pas ?
A vingt-deux ans, le pauvre petit n'a
guère à se féliciter de sa condition. Vous
lui avez fait la pire des existences,
comme si vous vous étiez juré de le
punir de vos propres erreurs. Ce grand
nom de Clérambard, dont vous êtes si
fier, ne lui aura pas porté chance.

CLÉRAMBARD. — A qui la faute, sinon
à lui ? Alors que j'étais déjà pauvre, je
me suis saigné aux artères pour qu'il
fasse des études. Je voulais en faire un
officier. Avec un nom comme le nôtre
et un sabre au côté, il aurait pu espérer
un brillant mariage. Cet imbécile n'a
pas été fichu de passer son bachot. J'ai
voulu ensuite qu'il s'engage dans l'ar-
mée. J'espérais que pour l'honneur des
Clérambard, il irait se faire casser la
tête dans une colonie. Le conseil de ré-
vision ne l'a pas pris. Alors ?

Mme DE LÉRÉ. — Il n'y a pas que le

métier des armes. Si son père l'avait
aidé...

CLÉRAMBARD. — Avec quoi? Vous oubliez qu'il n'est pas seul et que sur vos
instances, j'ai accepté la charge d'une
orpheline qui ne nous est rien. Car
enfin, cette gamine n'est pour vous
qu'une parente lointaine.

LOUISE. — Elle est ma filleule.

Mme DE LÉRÉ. — D'ailleurs, Florence
ne vous coûte rien. Mon amie Jeanne
de Vermex l'a prise aux frais du couvent.

CLÉRAMBARD. — Et le manque à ga-
gner, vous ne le comptez pas ? J'ai calculé que si j'avais neuf enfants travail-
lant au tricot pendant dix heures par
jour, il ne me faudrait pas quatre ans
pour libérer l'hôtel de toute hypothèque.

Mme DE LÉRÉ. — Le temps de les faire tous périr à la tâche.

CLÉRAMBARD. — J'ai d'ailleurs l'intention d'écrire à la Supérieure du couvent pour que Florence nous soit rendue.

LOUISE. — Mais pourquoi ? Florence est mieux là-bas !

CLÉRAMBARD. — En montant au grenier, je me suis aperçu que la toiture est endommagée. Il faut remplacer les tuiles et d'abord le latis. C'est une dépense à laquelle nous ne sommes pas en état de faire face. Je louerai un autre métier et Florence y travaillera pour assurer la réfection de la toiture.

LOUISE. — Non, Hector, non !

CLÉRAMBARD. — Comment, non ?

LOUISE. — Florence avait la chance de vivre loin de notre enfer. Allez-vous, pour quelques tuiles, condamner aussi cette enfant aux travaux forcés ?

CLÉRAMBARD. — J'y ai bien condamné mon fils ! Croyez-vous que je l'aie fait de gaîté de cœur ?

LOUISE. — Pour une orpheline, nous sommes tenus de faire davantage que pour notre fils.

Mme DE LÉRÉ. — Elle est d'ailleurs trop jeune pour supporter les fatigues que vous nous imposez.

CLÉRAMBARD. — Quand vous auriez raison toutes les deux et cent fois raison, je n'en serais pas moins obligé de me soumettre à la nécessité. La toiture doit être réparée. J'écrirai donc au couvent pour réclamer Florence.

Mme DE LÉRÉ. — C'est un attentat ! C'est un meurtre !

Clérambard. — Silence, nom de Dieu! Soyez un peu plus au travail !

> (*Chacun travaille en silence. On frappe à la porte*).

Clérambard. — Entrez !

SCÈNE III

Entre un curé.

Le Curé. — Pardonnez-moi, j'ai frappé en bas et, ne trouvant personne, je me suis permis de monter jusqu'ici.

Louise, *elle se lève.* — Vous avez bien fait, monsieur le Curé.

Le Curé. — Madame la Comtesse... Madame... Monsieur le Comte.

Clérambard. — Bonjour. Vous restez longtemps ?

Le Curé. — Je m'excuse...

Clérambard. — Restez si vous voulez, mais n'empêchez pas les gens de travailler. Nous ne sommes pas ici pour entendre des exhortations ni des oremus. Si peu qu'il nous soit payé, notre temps est précieux.

Louise. — Asseyez-vous, monsieur le Curé.

Le Curé. — Merci. Encore une fois, je vous demande pardon...

Louise. — Je vous en prie, monsieur le Curé. C'est très aimable à vous de passer nous voir.

Mme de Léré. — Mon gendre est d'un abord si peu agréable que nous n'osons pas encourager les visites. Nous sommes d'autant plus reconnaissants aux personnes qui veulent bien se risquer jusqu'ici.

(On entend des aboiements.

Clérambard tend l'oreille et se tourne vers la porte).

Le Curé. — En tant que prêtre de la paroisse, je pensais depuis longtemps à vous faire cette visite. Comment se porte le jeune vicomte ?

Mme de Léré. — Très mal.

Louise. — C'est-à-dire qu'il est un peu fatigué. Octave, monsieur le Curé demande de vos nouvelles.

Octave, *dans un murmure.* — Monsieur le Curé...

Le Curé, *à Louise.* — Je vois que vous êtes toujours très occupés.

Louise. — Vous connaissez notre situation. Elle ne s'est pas améliorée.

Le Curé. — Souvent, Dieu se plaît à éprouver celles de ses créatures qu'il a particulièrement distinguées.

Mme DE LÉRÉ. — Il est vraiment trop bon pour nous.

(Clérambard se lève et gagne la porte. Il sort).

SCÈNE IV

LE CURÉ. — Peut-être le terme de vos épreuves est-il plus proche que vous ne pensez. Justement, je suis venu vous entretenir d'un projet. Puisque monsieur le Comte est sorti, je vais être plus à l'aise pour vous exposer la chose. Vous connaissez Mᵉ Galuchon, l'avoué de la rue Fantin ?

LOUISE. — Oui. Mon mari a eu affaire à lui.

LE CURÉ. — Mᵉ Galuchon a trois filles. Il s'agirait de l'aînée.

LOUISE. — Comment, de l'aînée ?

Mme DE LÉRÉ. — Monsieur le Curé
veut dire que l'avoué souhaiterait marier sa fille aînée à Octave.

LE CURÉ. — Les Galuchon sont très
riches. Je n'oserais pas citer un chiffre,
mais le père de Mᵉ Galuchon, qui était
un maquignon habile et réputé, avait
amassé une très grosse fortune. D'autre part, Mme Galuchon était une demoiselle Cudenot, de l'épicerie en gros
Cudenot et c'est tout dire. Ce sont donc
des gens fortunés. Excellents catholi-
ques aussi. Moralité irréprochable.
Reste évidemment qu'ils sont d'origine
modeste. Le grand-père, je vous l'ai
dit, était maquignon. Reste aussi que la
jeune fille en question, bien qu'elle ne
soit pas vraiment laide, est assez loin
d'être jolie.

LOUISE. — Et pour la consoler de sa
disgrâce, les parents veulent en faire
une vicomtesse ?

Le Curé. — C'est une jeune fille très bien élevée. Grosse dot et des espérances du côté de son oncle le quincaillier. En outre, M° Galuchon laisse entendre qu'il aiderait monsieur le Comte à libérer l'hôtel de Clérambard de toute hypothèque.

Mme de Léré. — Louise, il faut accepter. Peu importe l'avis de ton mari, Octave est majeur, il n'a pas besoin du consentement de son père. Ah ! qu'il se marie ! qu'il parte ! qu'il s'évade de ce bagne !

Louise. — Accepter ? Vous n'y pensez pas, maman. Alors, le sang, la race, la naissance ne seraient qu'une marchandise ? J'aurais usé mes forces à des tâches écœurantes pour nous maintenir dans ces murs où s'inscrivent le nom et l'histoire des Clérambard et j'accepterais qu'un avoué achète tout, le nom et les murs, avec une poignée de billets ? Non. Je ne veux pas avoir souffert et manqué ma vie pour en venir là. Si ces pierres doivent nous échapper, que les créanciers nous les arrachent une à une et que je périsse à la tâche sans avoir à soupirer sur la vanité de mon calvaire.

Mme DE LÉRÉ. — Louise, pense à ton fils. Pense que tu tiens dans ta main les clés de sa prison. Rends-lui la liberté. (*Louise paraît hésiter*). Tu n'as pas le droit de t'arrêter à des considérations de naissance, qui ne sont plus rien dans la situation où nous sommes réduits. (*A Octave*). Octave, qu'en penses-tu ? Parle franchement.

OCTAVE. — Mariez-moi, grand-mère. Mariez-moi tout de suite. Je veux m'en aller. Que ma femme soit chauve, qu'elle soit borgne, édentée, elle sera toujours pour moi la plus belle et la plus adorable des femmes si elle a pu

m'arracher à mon existence de damné.
Je suis prêt à l'aimer de toutes mes
forces, mais qu'il se fasse vite, ce mariage, et qu'on en arrête la date sans
perdre une minute, car je suis à bout
de patience et de résistance.

LE CURÉ. — On ne saurait être plus
net.

LOUISE. — Vous accepteriez d'entrer
dans la famille des Galuchon, vous,
vicomte de Clérambard, et d'avoir un
oncle quincaillier ?

OCTAVE. — Mais, bien sûr, maman,
puisque je ne tricoterais plus de pulovères. Que pensez-vous que soit pour
moi ce titre de vicomte que je porte
dans l'ombre ? Peut-il être autre chose
qu'une dérision dans l'état de misère
où je me trouve ? Est-ce que vous
croyez que je n'entends pas ricaner les
gens sur mon passage et se moquer

tout haut du vicomte de Clérambard
qui s'en va vêtu comme un palefrenier
ne voudrait pas l'être ? Ah ! Je vous assure que j'ai bien souvent souhaité
pouvoir vendre mon nom et mon titre
pour un complet neuf ou un bon re-
pas.

LOUISE. — Vous... Je n'en reviens pas.

Mme DE LÉRÉ. — Je t'en conjure, ne
ferme pas à Octave cette porte de sortie. Pense aussi que ce mariage va permettre à ta filleule de rester au couvent
et d'y passer deux années heureuses.
Préfères-tu voir Florence ici, enchaî-
née à son banc de misère ?

LOUISE. — Vous avez peut-être raison... Mais non, vous n'avez pas raison.
Il vaudrait mieux dire, comme Hector,
que nous nous rendons à l'extrême nécessité. Mariez-vous donc, mon pauvre
enfant, et puissiez-vous ne regretter ja-

mais de vous y être résolu dans un jour de découragement.

(*Elle pleure dans son mouchoir*).

LE CURÉ. — Puisque vous êtes dans ces dispositions favorables, il ne reste plus qu'à convaincre monsieur le Comte. Demain dimanche, dans l'après-midi, M⁰ Galuchon et sa famille seraient heureux de vous faire une visite.

LOUISE. — Qu'ils viennent.

LE CURÉ. — Je m'en vais tout de suite porter la bonne nouvelle à M⁰ Galuchon qui n'attend pas sans une certaine anxiété le résultat de ma démarche.

SCÈNE V

(*Entre Clérambard qui va s'asseoir à son métier*).

CLÉRAMBARD. — Le salaud ! Je l'ai

poursuivi jusqu'au grenier ! Ses aboiements devaient s'entendre sur la place.

Le Curé. — Mais... Vous parlez peut-être de mon chien. Je l'avais laissé en bas, au rez-de-chaussée, pour ne pas vous en encombrer. Est-ce que...

Clérambard. — Il est mort.

Le Curé. — Oh ! Par exemple ! Mon pauvre Papillon ! Mais comment la chose a-t-elle pu arriver ?

Clérambard. — Je l'ai étranglé. Avec une corde.

(Rire muet).

Le Curé. — Monsieur le Comte ! Vous n'aviez pas le droit ! Vous saviez que ce chien était à moi et, même si vous l'aviez ignoré, rien ne vous autorisait à le tuer. Je vous répète que vous n'en aviez pas le droit !

Clérambard. — J'en avais parfaite-

ment le droit ! Je suis chez moi, n'est-
ce pas ? et libre de faire ce que bon
me semble à l'égard d'un intrus, surtout s'il s'agit d'une sale bête qui montre les dents. Mais si vous voulez tout
savoir, je vous dirai que je l'ai tué pour
mon plaisir ! Ha ! Ha ! (*Il éclate de
rire*). Pour mon plaisir ! Et comme il
est bien gras, je m'en vais le mettre au
saloir.

Le Curé. — Je vous l'interdis. Sa dé-
pouille m'appartient !

Clérambard. — Eh bien ! emportez-
le, allez l'enterrer dans votre jardin de
curé et qu'on n'en parle plus.

Louise. — Hector ! C'est indigne !
Monsieur le Curé, je suis consternée !

Mme de Léré. — Votre conduite est
sans nom ! Vous êtes un homme abominable ! Vous me faites horreur !

CLÉRAMBARD. — Assez ! Et tout le monde au travail !

LOUISE, *à mi-voix*. — Monsieur le Curé, vous ne saurez jamais à quel point je suis affligée par la mort de ce malheureux chien.

LE CURÉ, *à mi-voix*. — Je comprends qu'un acte aussi sauvage vous atteigne personnellement.

> (*Il parle bas. Entre un moine vêtu d'un manteau à capuchon et qui vient droit à Clérambard sur le devant de la scène*).

CLÉRAMBARD. — Qu'est-ce que vous voulez, vous, encore ?

LE MOINE. — Je suis saint François d'Assise. Passant sur cette Terre, j'ai entendu les hurlements d'un pauvre chien à l'agonie et je suis venu voir ce qu'il en était. Pauvre bête, mais pauvre homme aussi. Comme je me trouvais dans votre grenier, j'ai voulu me faire connaître de vous. Je vous laisse ce livre qui vous parlera de ma vie. Quand vous l'aurez lu, pensez-y quelquefois et pensez surtout à vivre mieux que vous ne l'avez fait jusqu'ici.

(*Ayant déposé un livre entre les mains de Clérambard, le moine sort*).

Clérambard. — Qu'est-ce que ça signifie ? Vous avez vu ce moine ?

Le Curé, *hargneux*. — Non. Quel moine ?

Clérambard. — Un moine vêtu d'un manteau. (*A Louise*). Vous l'avez bien vu ?

Louise. — Non. Il passait sur la place ?

Clérambard. — Mais non. Il était...

(*Clérambard se tait et regarde tout le monde d'un air inquiet. Puis il s'adresse à Mme de Léré*). Vraiment, vous n'avez pas vu un moine ?

Mme DE LÉRÉ. — Vous avez rêvé.

CLÉRAMBARD, *d'une voix mal assurée*. — Mais non, je l'ai bien vu... (*Au curé, d'un ton menaçant*). Je suis sûr de l'avoir vu.

LE CURÉ, *effrayé*. — Allons, il est temps que je me retire. Je vous souhaite le bonsoir.

LOUISE. — Bonsoir, monsieur le Curé. Octave, reconduisez monsieur le Curé.

Mme DE LÉRÉ. — Je tiens à vous dire combien je suis navrée, monsieur le Curé. Je n'aurais pas été plus bouleversée s'il s'était agi de mon propre chien.

LE CURÉ. — J'ai perdu là un bon

compagnon et qui m'aimait bien.

Octave. — Croyez bien que, moi aussi, je suis désolé.

(*Octave accompagne le Curé qui ouvre la porte. On entend des aboiements*).

Le Curé. — Papillon ! Il est vivant ! C'est lui ! C'est mon chien ! (*Aboiements*). Ah ! monsieur le Comte, vous avez voulu me faire peur !

Clérambard, *l'air égaré*. — Moi ?

(*Il se lève, court à la porte et, lentement, revient s'asseoir*).

Le Curé. — Ah ! Je suis heureux ! Oui, ma bonne bête, c'est ton maître. Oui, tu es content ? Là, là... Je ne te quitterai plus...

(*Aboiements. Octave sort derrière le Curé*).

Mme de Léré. — Ah ! quel soulage-

ment. J'ai cru mourir de confusion.
Vraiment, gendre, vous avez des plai-
santeries d'un goût détestable.

SCÈNE VI

LOUISE. — Vous paraissez abattu,
tout d'un coup. Vous avez les yeux
fiévreux et je vous trouve mauvaise
mine. Seriez-vous malade ?

CLÉRAMBARD. — Malade... Oh ! Non...
Je suis plutôt...

LOUISE. — Fatigué, n'est-ce pas ?
Vous voyez, ce n'est pas impunément
qu'on travaille comme vous le faites.
Il arrive un moment où l'on est à bout
de résistance, physiquement et mora-
lement. Nous en sommes tous plus ou
moins là et il est temps de chercher à
nos ennuis une solution pratique. Nous

travaillons comme des mercenaires pour nous maintenir dans ces murs et il est clair que nous n'arriverons à rien si nous ne sommes pas aidés. Le curé venait justement de la part de M° Galuchon en vue d'un mariage entre Octave et l'aînée de ses filles.

CLÉRAMBARD. — Oui... (*Silence*). Mais ce moine, vous l'avez bien vu ? Il avait un livre à la main.

LOUISE. — Quel moine ? Je n'ai pas vu de moine. Pourquoi me parlez-vous toujours de ce moine ?

CLÉRAMBARD. — Un moine vêtu d'un grand manteau.

LOUISE. — Où aurais-je pu voir un moine ?

CLÉRAMBARD. — Enfin, ce livre n'est pas venu ici tout seul. Vous le voyez ce livre, au moins ?

LOUISE. — Bien sûr. (*Elle lui prend le livre des mains*). Tiens, vous achetez des livres, maintenant ?

CLÉRAMBARD. — Moi ? Quelle supposition ! Vous pensez bien que je ne gâche pas de l'argent à acheter des livres. Du reste, je n'en ai jamais acheté. C'est justement ce que je vous dis. Ce livre n'est pas venu tout seul. Et le chien ? Le chien du curé !

Mme DE LÉRÉ, *sèche*. — Louise vous parle de l'établissement de votre fils. Vous n'allez pas revenir sur cette mauvaise plaisanterie qui n'a d'ailleurs amusé personne.

LOUISE. — La fille est laide. Elle est née Galuchon, et sa mère s'appelait Cudenot. Cette demoiselle qu'on veut marier à Octave est la petite-fille d'un maquignon et d'un épicier. Oh ! Je sais bien, Hector, il y a de quoi être acca-

blé et je comprends votre surprise.
Mais nous ne sommes pas dans une
situation à nous montrer difficiles. La
dot sera très importante et l'avoué libé-
rerait l'hôtel de Clérambard de toute
hypothèque. Pourquoi ne pas accepter ?

CLÉRAMBARD, *absent*. — Pourquoi
pas ?

LOUISE. — Vous pensez bien, Hector,
que ce n'est pas sans un grand déchi-
rement que je me suis résolue à envisager pour Octave la possibilité de
prendre femme dans un pareil milieu.
Vous m'écoutez ?

CLÉRAMBARD. — Quoi ?

LOUISE. — Où êtes-vous ? Je vous
disais...

Mme DE LÉRÉ. — Entrez !

SCÈNE VII

Entre une femme de trente-cinq ans, la Langouste, vêtue avec une recherche canaille et portant une cuvette en fer.

LA LANGOUSTE. — Bonjour, messieurs-dames... Répondez pas tous à la fois... Je répète : Bonjour, messieurs-dames.

Mme DE LÉRÉ, *ajustant son lorgnon.* — Madame... A qui ai-je l'honneur ?

LA LANGOUSTE. — L'honneur ! (*Rire*). On m'appelle la Langouste parce que j'ai des taches de rousseur sur le ventre. Mon nom, c'est Léonie Vincent, mais le commissaire de police, lui, il dit la fille Vincent. Nuance. Vous saisissez, madame de Tralala ? Hier soir encore, monsieur le Commissaire, il me l'a chantée, la chanson des vaches. Une salope, il m'a dit. Voilà ce que vous êtes... La honte de la ville !

Mme DE LÉRÉ. — Qu'est-ce qui vous amène ?

LA LANGOUSTE. — Je viens acheter un pulovère. On m'a dit que vous aviez un petit modèle tout ce qu'il y a de gentil et pas cher du tout.

Mme DE LÉRÉ. — Vous vous méprenez. Nous ne sommes pas des commerçants. Nous travaillons pour nos bonnes œuvres.

LA LANGOUSTE. — Vous êtes sûre ? On m'avait pourtant bien dit...

CLÉRAMBARD, à Mme de Léré. — Vous mentez. Nous ne travaillons pas pour nos bonnes œuvres, mais parce que nous sommes dans la misère.

Mme DE LÉRÉ. — Vous qui prenez ordinairement tant de soin de le cacher, je ne vous comprends plus.

(Mme de Léré tourne le dos à

*la Langouste. Clérambard ouvre
son livre).*

LA LANGOUSTE, *s'avançant vers
Louise.* — Madame la Comtesse...

LOUISE, *d'un ton froid.* — Madame.
(*La Langouste laisse tomber
sa cuvette de fer et la ramasse).*

Mme DE LÉRÉ. — Quel vacarme !

LA LANGOUSTE. — Oh ! Excusez-moi,
madame la Comtesse. Je suis confuse.
Vous allez me demander ce que je fais
avec une cuvette.

LOUISE. — Non, je ne vous demande
rien.

LA LANGOUSTE. — Figurez-vous,
chère madame la Comtesse, qu'il m'est
arrivé un ennui. J'avais dans ma
chambre une cuvette en faïence posée
à même le plancher. Il faut vous dire
que chez moi, il n'y a pas de table.

Vous savez ce que c'est qu'un ménage de jeune fille. On se monte petit à petit et il manque toujours quelque chose. Ma cuvette était donc par terre. C'est un détail, mais vous allez voir. Cet après-midi, j'avais chez moi un militaire, un jeune homme de bonne famille, vous savez, distingué, de l'éducation et une belle nature de soldat. Voilà qu'en remettant sa culotte, il trébuche, il pose le pied dans ma cuvette.

LOUISE. — Je vous en prie, nous en savons suffisamment.

LA LANGOUSTE. — Tout ça pour vous expliquer qu'il m'a fallu racheter une cuvette. Pour une femme élégante, c'est indispensable, n'est-ce pas ? Aussi bien pour laver ses pieds, sa figure et son entresol que pour faire tremper son linge sale et ses épinards.

LOUISE. — Hector !

CLÉRAMBARD, *sursautant*. — Quoi ?

LOUISE. — C'est insupportable. Nous ne sommes plus chez nous.

CLÉRAMBARD, *à la Langouste*. Qu'est-ce que vous voulez ?

LA LANGOUSTE. — Acheter un pulo-vère.

CLÉRAMBARD. — Qui vous a dit que j'en fabriquais ?

LA LANGOUSTE. — Une personne de vos relations qui me veut du bien. Dis-crétion, n'est-ce pas ?

Mme DE LÉRÉ. — Je serais vraiment surprise que nous eussions des rela-tions communes.

LA LANGOUSTE. — Quand vous aurez mon expérience du mâle, chère ma-dame, vous ne direz plus ça.

CLÉRAMBARD. — Choisissez. Faites vite.

La Langouste. — Enfin, quelqu'un d'empressé. (*Elle pose sa cuvette sur une chaise*). Celui-là me plairait... C'est bien la forme que je cherchais, ça vous fait le pectoral coquin... Et le rouge, c'est la couleur de la Langouste. (*Elle mesure les épaules, les manches*). Il a l'air d'aller. Si je me retenais pas, je le mettrais tout de suite. C'est combien ?

Clérambard. — Soixante francs.

La Langouste. — Ah ! Dites donc ! Soixante francs, rien que ça... Vous me direz, j'ai l'air distingué, ça je veux bien, mais chez moi, c'est tout en surface. Faudrait quand même pas me prendre pour une femme du monde.

Clérambard. — Trop cher ? En voilà un à quarante.

La Langouste. — Il est trop moche.

4

Mme DE LÉRÉ. — Allez voir ailleurs. Vous verrez ce que vous aurez pour le prix.

LA LANGOUSTE. — Je sais bien. Ah ! C'est pas facile. Trop petit, trop cher, trop moche. Pour les purées, il y a toujours quelque chose en trop et ça n'est jamais dans la poche. Si le commerce était mieux fait, c'est le client qui devrait faire son prix.

Mme DE LÉRÉ. — Joli raisonnement.

LA LANGOUSTE. — N'empêche que mon raisonnement, il tient debout. Les jours de marché, sur la place, il y a un couple qui s'installe au pied de la statue. Pendant que l'homme joue de l'accordéon, la femme chante dans son porte-voix. Là, c'est le client qui fait son prix. Vous donnez cinq sous, dix, vingt, trente et rien du tout si vous voulez. Vous restez là le temps qu'il vous plaît, personne ne vous chicane

sur l'heure et, au bout du compte, les
chanteurs ont fait leurs affaires.

Mme DE LÉRÉ. — Comme ils ne donnent rien, ils ne risquent rien.

LA LANGOUSTE. — Ils ne donnent
rien ? Alors là, pardon. Les jours de
marché, moi j'en rate pas une. Vous
pouvez me voir au premier rang, presque à cheval sur l'accordéon. Je reste
là une heure, des fois plus et quand je
m'en vais, c'est toujours avec une
chanson. Vous appelez ça rien ? Ecoutez la dernière :

I' m'surait un mét' quatre-vingts,
Il avait des petits yeux chafouins
Où était écrit mon destin.
I' m'a lâchée la s'maine dernière,
Apprenant qu'j'allais être mère.

Ça va, je veux pas vous attrister.

Mme DE LÉRÉ, à Louise. — Nous

avons de la chance. Je vais préparer le dîner.

LA LANGOUSTE. — C'est ça.

(*Mme de Léré sort*).

LA LANGOUSTE. — Payée ou pas, elle est à moi, ma chanson. Elle s'usera pas. Elle tiendra le coup mieux que vos pulovères. Personne ne pourra me la casser ni me la cabosser. (*Se touchant le front*). Je la range dans le placard, ma chanson, et je la retrouve quand j'en ai envie. J'en ai de toutes sortes, vous savez, et je leur laisse pas le temps de se rouiller. Des fois, pour me faire rire, je me mets à chanter :

Anatole, Anatole,
Montre tes pistoles;
Je serai ta Nana, ta Nana folle,
Ta p'tite Nana, à Nanatole.

Elle est drôle, hein ?

Louise. — Nous ne sommes pas au cabaret. Voyons, Hector, servez cette personne et finissons-en.

Clérambard, *tendant à la Langouste le pulovère de son choix.* — Faites votre prix.

La Langouste. — Non, c'est vrai ? Vous, alors... Vous me plaisez, je vous le dis. Ça fait du bien de penser qu'en France, y a encore du monde qui sait vivre. Les manières raglan, je peux vous en parler, ça devient rare !

Louise. — Hector ! Vous n'allez tout de même pas permettre à n'importe qui d'emporter notre travail pour une somme dérisoire ?

Clérambard, *haussant la voix.* — Faites votre prix.

Louise. — C'est stupide.

La Langouste. — Bon. Trente-cinq

francs, ça irait ? (*Clérambard approuve de la tête*). Non, quand même, hein, c'est pas assez ? Qu'est-ce que vous diriez de quarante francs ? Tenez, je vais jusqu'à quarante-deux. Plus, je ne pourrais pas. (*Clérambard approuve*). Merci, dites. (*Elle prend l'argent dans sa poche*). Voilà quarante. Merci. Au revoir.

(*Elle sort.*)

SCÈNE VIII

Louise. — Vraiment, Hector, vous faites tout d'un coup bon marché de nos efforts et de notre peine. Et je pense que si vous vouliez faire le généreux avec quelqu'un, vous auriez pu choisir une autre personne que cette créature. J'ai entendu dire qu'elle se vendait aux soldats de la garnison pour

cinq francs. Il n'y avait aucune raison
de faire pour elle ce que vous n'avez
jamais fait pour personne.

CLÉRAMBARD. — Foutez-moi la paix !
(*Plus doucement*). Allez aider votre
mère. Et ce soir, vous vous reposerez.
Nous ne travaillons pas après dîner.

(*Louise sort en claquant la
porte. Clérambard arpente la
pièce*).

SCÈNE IX

Entre la Langouste.

LA LANGOUSTE. — Excusez, j'avais
oublié ma cuvette. (*Elle prend sa cuvette et se dirige vers la porte*). Salut !
Et encore, merci, hein ? (*En arrivant à
la porte, elle se heurte à Octave qui*

rentre). Ah ! Mon Dieu ! Un homme ! Tout contre moi ! Mais c'est affreux ! Si mon fiancé l'apprenait ! Et mes parents ! Et mes amis ! Et mes domestiques ! J'espère que vous êtes un galant homme, que vous saurez vous taire.

(*Elle rit*).

Octave, *bafouillant.* — Je vous demande pardon.

La Langouste. — Adieu, mignon.

(*Elle sort. Un moment, Octave reste immobile, comme essoufflé, puis s'approche de son père*).

Octave, *d'une voix entrecoupée de rires nerveux.* — La Langouste... C'était la Langouste... Là, sur le seuil... Elle m'a parlé... Tout près de moi... Elle me regardait... C'était la Langouste...

CLÉRAMBARD. — Qu'est-ce que vous avez ?

OCTAVE, *éperdu*. — Elle était contre moi... J'ai senti sa cuisse... J'ai senti sa poitrine... (*Criant*). Sa poitrine !

CLÉRAMBARD. — Allons, c'est bon, calmez-vous.

OCTAVE. — Me calmer ! Mais comment voulez-vous que je sois calme ? Ah ! si vous saviez !

CLÉRAMBARD. — Eh bien ?

OCTAVE. — Il y a dix ans que je pense à cette fille, que je rêve d'aller chez elle, d'être à elle... J'étais encore un enfant... J'avais treize ans, douze ans... Je la rencontrais... Je connaissais sa maison, dans la ruelle aux Brebis... Je passais, je repassais, je respirais l'odeur de son couloir... Le soir, je n'arrivais pas à m'endormir... J'avais la fièvre... J'imaginais... J'imaginais... le diable sait ce que j'imaginais...

CLÉRAMBARD. — Et maintenant ?

OCTAVE. — Rien n'est changé, sauf que je suis plus impatient, plus timide aussi, plus honteux. Elle a beau avoir dix ans de plus, j'y pense plus que jamais. Et j'imagine toujours... J'imagine à n'en plus finir ! Tenez, hier encore, je suis passé par la ruelle aux Brebis et devant chez elle, à l'entrée de son couloir, je me suis arrêté, une fois de plus. J'avais les dents serrées, les jambes molles. J'étais glacé... (*Se reprenant*). Allons, je suis stupide. Je ne sais pas pourquoi je vous dis tout ça. Pour ce que ça peut vous faire...

CLÉRAMBARD. — Vous avez bien fait. Je suis votre père.

OCTAVE. — Enfin, je vais épouser une des filles Galuchon. La plus laide, mais c'est toujours ça. On travaille ce soir ?

CLÉRAMBARD. — Non.

OCTAVE. — Ah ! Tant mieux. Tiens, un livre. *Vie de saint François d'Assise*. Editions du Ciel. C'est vous qui lisez ça ? Je vous préviens. Pour vous qui n'aimez pas lire, voilà un livre qui n'a rien d'attirant.

CLÉRAMBARD. — Pourquoi ?

OCTAVE. — François d'Assise, si j'ai bonne mémoire, était ce moine si débordant de charité qu'il aimait toutes les bêtes, même les plus sauvages, et s'en faisait aimer.

CLÉRAMBARD. — Vous êtes sûr ?

OCTAVE. — Mais oui, j'en suis sûr. Vous paraissez déçu. Evidemment, un récit de chasse ou un roman policier conviendrait mieux à votre humeur.

CLÉRAMBARD. — Laissez-moi. Allez-vous-en.

> (*Octave sort. Clérambard prend le livre et s'assied. Le jour baisse*).

SCÈNE X

La nuit est presque faite. Assis à son métier, Clérambard tient le livre. Derrière lui, dans la hotte de la cheminée dont le manteau devient transparent, apparaît saint François d'Assise illustrant sa lecture.

CLÉRAMBARD. — En 1182, naissait à Assise celui qui devait être saint François... (*Ramage d'oiseaux*).

LE MOINE. — Fauvettes, coucous, mésanges, loriots, merles, rossignols, doux oiseaux, mes frères, quand je serai dans les villes, j'inviterai les hommes à venir vous voir dans vos bois. Je leur dirai qu'il ne suffit pas d'aimer son semblable et qu'il reste à aimer d'autres êtres si bons et si beaux qu'ils ont des voix de paradis et des ailes comme les anges de Dieu.

(*Chant d'un merle*).

LE MOINE. — La forêt, c'est encore un peu du Paradis perdu. Dieu n'a pas voulu que le premier jardin fût effacé par le premier péché. Sur toute la surface de la terre, il a semé des forêts profondes où le pécheur puisse retrouver la bonne chance dans la compagnie des bêtes qui furent les témoins de son innocence.

(*Ramage d'oiseaux*).

LE MOINE. — L'odeur des racines, le frisson des taillis et les chants des oiseaux endorment les puissances du mal qui veillent au fond de notre pauvre cœur. Dieu pousse même parfois la sollicitude jusqu'à placer des bandits au détour des sentiers afin d'aider les riches à se décharger d'un fardeau trop pesant pour marcher dans les voies du Seigneur.

(*Chant d'un rossignol*).

Le Moine. — Ah ! On frappe à ma poche. C'est vous, ami écureuil ? Vous arrivez bien, petit frère. J'ai une provision de noisettes. Ah ! le rusé. Le voilà déjà entré dans ma poche. C'est qu'il me chatouille !

(*Le Moine rit aux éclats. Les oiseaux chantent. Hurlement d'un loup*).

Le Moine. — Ah ! c'est le loup ! Bonjour, mon frère, bonjour. Tu parais bien malheureux. Allons, ne fais pas cette figure lamentable, mon pauvre loup. Je suis au courant, tu viens encore de manger un agneau. Eh bien, de quoi t'affliges-tu ? N'es-tu pas créé justement pour manger des agneaux ? Cette nécessité qui vous pousse sur la proie, elle vous dépasse de loin, toi et ton espèce ! Va, c'est l'ordre du monde et quand tu dévores un agneau, tu célèbres la gloire de Dieu, tu chantes sa force et sa bonté. C'est une chanson un peu rude à nos oreilles d'hommes, mais à celles de Dieu, elle n'est pas moins douce que le chant des oiseaux qui mangent des insectes.

(*Le loup gémit doucement*).

LE MOINE. — Mon frère loup, tu n'as mérité aucune des malédictions qui t'accablent. Ecoute le chant des oiseaux. C'est le tien. Tes hurlements, c'est ainsi que Dieu les perçoit. Ecoute, loup...

(*Le Moine disparaît. Ramage de tous les oiseaux. Clérambard poursuit sa lecture*).

RIDEAU

ACTE II

Même décor qu'au premier acte, sauf que les métiers à tricoter ont disparu.

SCÈNE I

Louise et Octave achèvent de mettre en bonne place le canapé et les fauteuils.

LOUISE. — Vous ne me direz pas que c'est naturel.

OCTAVE. — Je ne vois pas qu'il y ait de quoi se tourmenter.

LOUISE. — Tout de même, voilà près de vingt-quatre heures qu'il est enfermé à clé dans cette pièce et qu'il ne veut voir personne, entendre personne. C'est à peine s'il me répond par une parole d'impatience quand j'essaie de lui parler à travers la porte.

OCTAVE. — Que voulez-vous, il passe son dimanche comme il l'entend.

LOUISE. — Sans manger ? Sans dormir ?

OCTAVE. — Je ne sais pas s'il a dormi. En tout cas, il a très bien pu, cette nuit, faire un tour à la cuisine.

LOUISE. — J'admire que vous soyez si tranquille. Ainsi, vous n'avez pas la moindre inquiétude ?

OCTAVE. — Mais de quoi voulez-vous que je m'inquiète ? Papa n'est pas perdu, puisqu'on sait où il est.

LOUISE. — Vous ne vous demandez pas ce qu'il peut faire, seul dans cette pièce, ni ce qu'il médite, ni quelles circonstances l'ont amené à s'enfermer ainsi ? Votre père n'est pas homme à jouer la comédie ! On peut être sûr que s'il a éprouvé le besoin de faire une sorte de retraite, c'est que des raisons graves l'y ont poussé. Il a tant de soucis, tant de sujets d'inquiétude...

OCTAVE. — Hier soir, quand je l'ai quitté, il se préparait à lire un livre.

LOUISE. — Allons donc ! Votre père a horreur de la lecture. Voyez-vous, Octave, je me demande si ce n'est pas la pensée de votre mariage qui l'occupe.

OCTAVE. — Vous lui prêtez des sentiments de sollicitude qu'il ne m'a guère prodigués jusqu'à présent.

LOUISE. — Hier soir, après le départ de monsieur le Curé, j'ai parlé à votre père de ce mariage Galuchon.

OCTAVE. — Il était d'accord ?

LOUISE. — C'est-à-dire qu'il avait l'air

de l'envisager avec résignation. Mais
depuis, justement, il a pu se reprendre;
en tout cas, hésiter. Ce sont peut-être
ses scrupules qui le tourmentent maintenant.

OCTAVE. — Qu'il se décide pour ou
contre ! Dans une demi-heure, les Galuchon seront là. Il faudrait pourtant
savoir si papa est consentant ou si je
dois me passer de son consentement.

LOUISE, *après un silence.* — Octave,
sincèrement, est-ce que l'idée de ce mariage ne vous est pas trop pénible ?
Et pensez-vous pouvoir être heureux
avec cette petite ?

OCTAVE. — Pourquoi cette question ?
Il est entendu que je ne fais pas un
mariage d'amour. Je ne connais même
pas la jeune fille, et le Curé ne nous
a pas dissimulé qu'elle était laide.

LOUISE. — C'est bien ce que je pensais. Ce mariage est pour vous le plus amer des sacrifices.

OCTAVE. — Mais non ! Pas du tout ! Ah ! comme vous êtes compliquée et que vous me connaissez mal !

LOUISE. — Heureusement, nous n'avons fait aucune promesse, et rien n'est plus facile que de se dégager.

OCTAVE. — Me dégager ! Vous n'y pensez pas ! Ecoutez, maman, je vous parle sans détour. Plutôt que de rester sous la coupe de mon père à mener une vie de chien, je serais encore heureux de m'échapper avec la première venue, même si elle était sans le sou, même si elle n'était pas jeune, même si... (*un silence*) J'espère maintenant vous avoir convaincue qu'il n'est pas question pour moi de faire un sacrifice.

LOUISE. — Je veux vous croire.

SCÈNE II

*Entre Mme de Léré en tenue de ville. Chapeau
à voilette baissée.*

Mme DE LÉRÉ, *la mine bouleversée.*
— Mon Dieu ! Ah ! mes pauvres enfants ! Si vous saviez ! Non, c'est trop
affreux ! C'est trop épouvantable !

LOUISE. — Maman! Que s'est-il passé?
Voyons, je vous en prie... parlez !

Mme DE LÉRÉ. — Oui, je vais parler...
Il faut me pardonner, mais... Non, je
n'ose pas vous le dire.

LOUISE. — C'est Hector, n'est-ce pas ?
Mme DE LÉRÉ, *reniflant un sanglot.*
— Oui.

LOUISE. — Il est mort ! Mon mari est
mort ! Octave !

Mme DE LÉRÉ. — Mais non, qu'est-ce que tu vas supposer ! Hector se porte comme le Pont-Neuf.

LOUISE, *s'asseyant.* — Ah ! comme j'ai eu peur !

Mme DE LÉRÉ. — Ma pauvre chérie ! Vraiment, j'ai été stupide. Si j'avais pu prévoir...

OCTAVE. — Alors ? Que s'est-il passé ?

Mme DE LÉRÉ. — Ah ! ce qui s'est passé... En rentrant des vêpres, j'ai pensé qu'Hector devait être encore enfermé; je suis donc montée par le petit escalier et, en passant devant sa porte, je me suis arrêtée. Je l'entendais aller et venir dans la pièce. J'ai d'abord frappé... une fois, deux fois... J'ai appelé : « Hector, vous êtes là ? » Pas de réponse. J'ai crié : « Hector, puisque vous êtes là, répondez ! » Alors, il m'a répondu...

Louise. — Que vous a-t-il dit ?

Mme de Léré. — Il m'a dit... Non, je ne peux pas le répéter.

Louise. — Il vous a expliqué pourquoi il s'était enfermé ?

Mme de Léré. — Non. Oh ! non.

Louise. — Il a peut-être parlé de sortir ou de rester encore ?

Mme de Léré. — Mais non. Il m'a dit... Ah ! décidément... Je préfère le dire à l'oreille d'Octave. (*Elle vient à Octave et, tout bas, prononce un mot*).

Octave, *riant d'un petit rire quinteux*. — Hin ! hin !... Hin ! hin !... Hin ! hin !

Mme de Léré. — Tu peux rire, mon garçon.

Octave, *à Louise*. — Rassurez-vous,

ce n'est rien de grave. Une parole d'impatience, simplement.

Mme DE LÉRÉ. — Ton mari se montre souvent grossier avec moi. Tout de même, il n'était pas encore allé jusque-là !

LOUISE. — Je le disais à Octave tout à l'heure, Hector est très tourmenté. Il ne faut pas lui en vouloir. Mais vous êtes rentrée très tôt ?

Mme DE LÉRÉ. — Je ne suis restée qu'un quart d'heure à l'église. Je voulais rentrer assez tôt pour avoir le temps de préparer le thé à nos visiteurs. A propos, j'ai aperçu la famille Galuchon aux vêpres. Et j'ai vu l'aînée des trois filles. Ah ! elle n'est vraiment pas belle.

(*Silence prolongé. Louise soupire. Octave a le regard fixe*).

Mme DE LÉRÉ. — J'ai fait aussi une

rencontre... une rencontre dont je me serais passée... La Langouste !

Octave. — Vous l'avez vue? Où était-elle ?

Mme de Léré. — Au coin de la ruelle aux Brebis. Elle venait à ma rencontre. Elle portait le pulovère rouge qu'Hector lui a vendu hier.

Octave. — Il lui va bien ?

Mme de Léré. — Si tu crois que j'y ai pris garde ! Elle marchait, cigarette au bec, les poings sur les hanches, en se dandinant... (*Tout en disant, Mme de Léré fait quelques pas en se déhanchant*). Et voilà qu'en arrivant à ma hauteur, elle me lance : « Alors, on s'en va aux vêpres, toute seule avec son parapluie ? »

Octave. — Ha !

Louise. — Vous ne lui avez pas répondu ?

Mme de Léré. — Tu penses bien que non. Mais je suis devenue toute rouge. Ah ! quelle époque... Tiens... je vais me déshabiller et préparer notre réception.

Louise. — Je vais vous aider.

Mme de Léré. — Mais non. A quoi bon ?

SCÈNE III

Entre Clérambard, robe de chambre et chapeau melon. Mme de Léré le regarde de haut en bas, lui tourne le dos et sort. Octave se lève et va s'appuyer au bahut.

Louise. — Hector, vous voilà enfin. J'étais si inquiète... J'essayais de deviner quel pouvait être votre état d'esprit dans cette solitude que vous prolongiez... J'imaginais vos soucis, votre tourment...

CLÉRAMBARD. — Quels soucis? Quel tourment?

LOUISE. — Hélas! Ils ne vous manquent pas. La maison, le travail, les créanciers, une situation qui va s'aggravant...

CLÉRAMBARD. — Je n'ai même pas pris le temps d'y songer. Tout ça est tellement dépassé!

LOUISE. — Que voulez-vous dire?

CLÉRAMBARD. — Je veux dire que j'ai d'autres affaires en tête et d'une bien autre importance. Je me suis découvert tout d'un coup des créanciers auxquels je n'avais jamais pensé et qui ont pourtant fait preuve à mon égard d'une très grande patience. Mais ces créanciers à qui je dois tout, j'ai hâte de leur payer

mes dettes... bien qu'à vrai dire j'aie
la certitude de ne pouvoir jamais m'ac-
quitter envers eux.

(*Il s'assied dans un fauteuil*).

Louise, *timidement*. — Vous devez
être affamé ?

Clérambard. — Non, j'ai mangé.

Octave, *à Louise*. — Qu'est-ce que
je vous disais ?

Louise. — Vous savez que vous êtes
resté enfermé près de vingt-quatre
heures ?

Clérambard. — C'est possible. Je
n'avais plus la notion du temps.

Louise. — Mais qu'est-ce que vous
avez pu faire, seul, pendant toute une
nuit et tout un jour ?

Clérambard. — J'ai lu. (*Un temps*).
Et j'ai pensé.

LOUISE. — Pensé ? Mais à quoi ?

CLÉRAMBARD. — Vous ne comprendriez pas. Il vous manque d'être préparée à certaines évidences. Mais rassurez-vous. Je ne vous laisserai pas dans l'ignorance. (*Un temps*). Je ne laisserai personne ici dans l'ignorance. Et d'abord, vous lirez ce livre.

(*Il tire le livre de sa poche et le montre à Louise*).

LOUISE. — *Vie de saint François d'Assise*. Editions du... du...

CLÉRAMBARD, *d'une voix impatiente.* — Du Ciel !

OCTAVE, *prenant le livre que lui tend Clérambard.* — Oui, c'est le livre que vous vous proposiez de lire hier soir. Alors, vous l'avez lu ? Il ne vous a pas trop ennuyé ? Une vie de saint, j'imagine que ce n'est pas des plus folichons.

CLÉRAMBARD. — Imbécile ! Malheureux imbécile ! J'ai bien peur que vous restiez pour la vie et pour l'éternité l'individu indécrottable que vous avez toujours été. Puissé-je me tromper ! Puissiez-vous, dans le troupeau des pêcheurs, n'être pas un cancre obtus et paresseux comme vous l'étiez au lycée.

LOUISE. — Soyez juste, Hector. En ces dernières années, Octave a beaucoup travaillé.

CLÉRAMBARD. — Parce que j'étais là. (A Octave) : J'ai longuement pensé à vous, durant ces heures de solitude. J'ai pensé, entre autres choses, à votre salut. Je me suis demandé si je ne devais pas vous le faire faire à coups de pied au cul ou s'il était possible, malgré les apparences, d'éveiller votre âme à la vérité par des moyens mieux accordés avec ma tendresse de père.

C'est ce que nous verrons par la suite. En tout cas, vous allez me faire le plaisir de lire ce livre aujourd'hui même.

OCTAVE. — Je vous promets de le lire. (*Il pose le livre sur le bahut, duquel il s'éloigne vivement*). Maman ! Une araignée ! Là ! sur le bahut !

LOUISE. — Oh ! elle est énorme! (*Elle avance la main pour se saisir d'un journal qui se trouve sur le bahut*). Je vais la tuer !

CLÉRAMBARD, *calme*. — Laissez cette petite bête tranquille !

LOUISE. — Oh ! je vous promets bien qu'elle ne m'échappera pas.

CLÉRAMBARD, *il se lève, l'air menaçant*. — Laissez cette petite bête tranquille, vous dis-je !

LOUISE. — Mais qu'est-ce qui vous prend ? Je ne vais pas la laisser courir sur le bahut, tout de même ! Une araignée !

CLÉRAMBARD. — Eh bien, oui, c'est une araignée... Et après ? Est-ce que toutes les bêtes du bon Dieu n'ont pas le droit de vivre et de respirer ? Je ne vois pas pourquoi vous écraseriez une araignée qui ne vous a rien fait. Si encore c'était pour la manger, je comprendrais. Il y a quelquefois des... des nécessités que nous... des nécessités qui nous dépassent. Mais ce n'est pas le cas. Alors ?

LOUISE. — Alors ? Il me semble que la maison est suffisamment délabrée. Je veux au moins qu'elle soit propre.

CLÉRAMBARD. — Tenez-la propre et laissez les araignées en paix.

LOUISE. — Comme si c'était possible! Comme si une maison pouvait être propre avec des araignées qui courent sur les meubles ! Il n'y a rien qui me dégoûte autant qu'une araignée.

CLÉRAMBARD. — Ame vile.

LOUISE. — Comment ?

CLÉRAMBARD. — Ame vile.

LOUISE. — Hector ! Comment pouvez-vous me traiter ainsi, moi, votre femme, et en présence d'Octave ?

CLÉRAMBARD. — Araignée, ma sœur, sois la bienvenue chez nous. Hier encore, je n'étais qu'un pauvre ignorant et j'aurais laissé ma femme t'écraser. Mais depuis, un peu de la lumière du ciel est descendu dans mon cœur. Je sais maintenant ce qu'un homme doit de tendresse et de respect à toutes les créatures de Dieu. Non, tu n'es pas une bête répugnante. Ton corps a la forme d'un bel ovale. Tes longues pattes poilues sont finement dentelées. Tu es comme la fleur d'un fil de la Vierge. (*A Octave, sévèrement*) : Est-ce vrai ?

OCTAVE. — Mais certainement.

CLÉRAMBARD. — Désormais, tu seras la joie de la maison et notre amitié en sera la douceur.

LOUISE. — Ah ! l'horreur ! la voilà qui court sur le mur !

CLÉRAMBARD. — Va, petite sœur, va. Tu es chez toi, libre d'aller et venir à ta volonté. Ici, tu n'as pas besoin de vivre cachée.

LOUISE. — Ce serait pourtant prudent.

CLÉRAMBARD, *il regarde sa femme sévèrement et se tourne vers l'araignée.* — Ta vie m'est aussi précieuse que celle de ma femme.

LOUISE. — Je vous remercie, Hector.

Voilà un compliment agréable à entendre. Mais je voudrais bien savoir pourquoi vous témoignez tout d'un coup tant de sympathie aux araignées. Hier encore, vous avez tué un pauvre jeune chat qui ne demandait qu'à vivre. Et ce chien qu'il y a huit jours, vous avez jeté à l'eau après l'avoir égorgé sous les yeux d'Octave, que vous avait-il fait? Je sais bien que vos instincts de chasseur cherchent à s'assouvir comme ils le peuvent. Mais puisque vous tuez si allégrement les chiens et les chats, il est juste que vous me passiez les araignées.

CLÉRAMBARD. — Louise, j'attendais vos reproches, qui ne sont que trop justifiés. Il est vrai que je suis une brute, un tortionnaire, un tueur sadique tout éclaboussé du sang des bêtes innocentes, et qu'hier encore je prenais un mauvais plaisir à chasser, à tuer, à martyriser, à chercher dans le dernier regard de mes victimes l'affolement et le désespoir de la vie qui se sent tout près de chavirer dans la mort. Oui, j'ai tué des chats, j'ai tué des chiens, sans autre raison vraie que celle d'assouvir d'infâmes instincts. Je ne crois pas qu'un jour je puisse l'oublier. Mais je vous demande de m'en faire souvenir à chaque instant. Je n'ai jamais tué que de pauvres animaux, mais je ne doute guère que j'aie été capable de tuer des hommes aussi bien, avec la même férocité. Que dis-je ? J'en suis sûr, puisque j'y ai déjà pensé.

LOUISE. — Non, Hector, je ne vous crois pas.

CLÉRAMBARD. — Je vous dis qu'il m'est arrivé d'y penser, et non pas une fois. Ah ! si vous saviez, Louise, quel homme j'étais. Heureusement, j'ai trouvé hier mon chemin de Damas. Désormais, je m'appliquerai à être l'ami des animaux et à les défendre tous, quels qu'ils soient.

Louise. — Mon ami, vous tombez d'un excès dans l'autre...

Clérambard, *d'une voix dure*. — Les araignées comme les autres, vous m'avez compris ? Ne doit-on pas défendre d'abord les plus petits, les plus faibles ?

(*Long silence*).

Octave. — Nos visiteurs ne vont plus tarder.

Clérambard, *attendri*. — Elle est allée se nicher derrière le portrait. Peut-être qu'en ce moment, elle passe la tête en dehors du cadre pour regarder ce que je fais. Comme c'est charmant, ces petites bêtes !

Octave. — Vous savez que maître

Galuchon et sa femme viennent nous faire une visite avec leurs trois filles ?

LOUISE. — Il est bon que vous soyez là pour défendre les intérêts d'Octave.

CLÉRAMBARD. — Est-ce que ce projet de mariage est déjà très avancé ?

LOUISE. — Vous savez bien que non. Le Curé nous en a parlé hier pour la première fois.

CLÉRAMBARD. — Tant mieux. Vous serez plus à l'aise pour faire comprendre aux Galuchon que ce mariage est impossible.

LOUISE. — Ah ! vous n'en êtes plus partisan ? Prenez garde, Hector, de ne pas décider à la légère. Pensez à notre situation. Et qu'est-ce qui vous a fait changer d'avis ?

CLÉRAMBARD. — J'ai décidé qu'Octave épouserait la Langouste.

LOUISE. — La Langouste! Allons, c'est une plaisanterie. (*A Octave*): Votre père se moque de nous.

CLÉRAMBARD. — Il ne s'agit pas d'une plaisanterie. Octave épousera la Langouste.

LOUISE. — C'est vrai? Vous êtes sérieux? Voyons, Octave épouser cette fille... cette créature! Non, Hector, il n'est pas possible qu'une idée aussi absurde germe dans une tête raisonnable. Vous avez donc perdu tout sens commun, toute dignité?

CLÉRAMBARD. — Je vous en prie, laissez là votre dignité.

LOUISE. — Hier, ne l'avez-vous pas entendue dire elle-même que le commissaire de police lui a reproché d'être la honte de la ville?

CLÉRAMBARD. — Voilà qui témoigne justement pour elle!

LOUISE. — Le commissaire est, en effet, mieux placé que personne pour témoigner de sa vie scandaleuse. Du reste, la réputation de cette fille à soldats est faite depuis longtemps. Vous ne l'ignorez pas. Et quelle tenue! Quelle vulgarité ! Il suffit de la voir et de l'entendre.

CLÉRAMBARD. — Vous vous croyez peut-être supérieure à la Langouste ?

LOUISE. — Vous n'allez tout de même pas comparer la mère de votre fils à une prostituée ?

CLÉRAMBARD. — Parfaitement, une prostituée, une douloureuse et humble fille que ses malheurs rendent digne d'amour et de respect. Ce sera pour nous un honneur qu'elle consente à épouser ce grand dadais qui n'est sûrement pas digne de lui laver les pieds.

LOUISE. — Hector ! C'est de votre fils que vous parlez !

CLÉRAMBARD. — Mon fils est un cornichon, mais c'est aussi un tombereau d'impureté. Mon fils est un tas de fumier. Comme moi, d'ailleurs. Comme sa mère.

LOUISE. — Vous dites des choses révoltantes.

CLÉRAMBARD. — Nous ne sommes que des hobereaux orgueilleux qui n'avons pas su préférer à une vaine gloriole les vraies richesses de l'âme.

LOUISE. — C'est pour cette vaine gloriole que nous luttons tous depuis tant d'années, avec le courage du désespoir. Et voilà tout le cas que vous faites de nos efforts, de nos travaux et de nos peines. Non, Hector, il ne s'agit pas de gloriole, mais d'honneur et plus simplement d'honorabilité.

CLÉRAMBARD. — Taisez-vous, femme frivole !

LOUISE. — Pour arracher Octave à l'enfer de notre existence, je m'accommode à contre-cœur d'une mésalliance avec la fille des Galuchon. Mais n'esperez pas que je compose pour lui faire épouser une catin !

CLÉRAMBARD. — Dans son abjection, la Langouste est plus proche de Dieu que toutes les filles d'avoué du canton. Quand elle trousse humblement son pauvre jupon troué en prenant les cent sous d'un militaire, Dieu est là, tout près d'elle, et Il regarde son sacrifice avec bienveillance.

LOUISE. — Hector, vous êtes stupide et vous êtes obscène.

CLÉRAMBARD. — Sa misère et sa honte lui serviront de passeport pour entrer au Ciel. Là-haut, la boue de son existence giclera autour d'elle en étoiles glorieuses. Et vous, avec tout votre honneur et toute votre dignité, je vous vois comme un gros abcès gonflé d'impureté, un énorme abcès qui se cache sous des parchemins et des couronnes de comtesse, mais qui éclatera un jour, et ce jour-là, jour de colère, il éclatera avec un gargouillement de pourriture lâchée, et les anges du ciel se boucheront le nez pour ne pas sentir votre puanteur.

Louise. — Taisez-vous, c'est abominable. Vous n'avez pas le droit de me traiter ainsi. Octave, défendez-moi! Défendez votre mère !

Octave. — Calmez-vous, papa. Vous ne pensez pas ce que vous dites.

Clérambard. — Vous aussi, Octave, vous êtes un abcès. Mais vous aurez peut-être la chance d'avoir la plus humble des épouses et de partager sa honte aux regards de Dieu. Les gens vous montreront du doigt en ricanant. Ils diront que vous avez épousé une putain de la ruelle aux Brebis. On vous insultera. Et je compte bien qu'on nous insultera aussi.

OCTAVE. — Vous avez l'air de vous en réjouir. Pour ma part, je me passerais bien d'être insulté.

CLÉRAMBARD. — L'humilité est l'anti-chambre de toutes les perfections. Et c'est justement ce trésor-là, Octave, que la Langouste vous apportera en dot.

LOUISE. — Assez de sottises. Essayez de retrouver un peu de bon sens et pensez au bonheur de votre fils.

CLÉRAMBARD. — J'y pense. Mon désir est précisément qu'Octave vive selon son cœur, sans sacrifier à des intérêts d'argent. Devrait-il, parce que nous sommes pauvres, lier sa vie à celle d'une héritière pour laquelle il ne saurait éprouver qu'un sentiment de rancune? Non, Octave épousera la femme qu'il aime.

LOUISE. — La femme qu'il aime?

CLÉRAMBARD, *à Octave.* — Vous aimez la Langouste, n'est-ce pas?

OCTAVE. — A vrai dire... Je me demande...

CLÉRAMBARD. — Enfin, quoi, vous l'aimez.

OCTAVE, *regard gêné vers Louise.* — Je n'ai pas l'expérience qui me permettrait d'affirmer...

CLÉRAMBARD. — Allons, c'est dit, je vais m'habiller et je descends lui demander sa main. A quoi bon attendre?

LOUISE. — Hector! Hector!

(*Clérambard sort*).

SCÈNE IV

LOUISE. — Il y va, n'en doutez pas. C'est incroyable ! Vous avez vu de quelle ardeur insensée il s'employait à prendre sa défense contre moi et à lui faire un mérite de son ignominie ? Avez-vous remarqué aussi quel étrange regard il avait ? (*Silence*). Eh bien, tant pis ! Si votre père a perdu la tête, moi j'ai la mienne sur les épaules. Octave, vous épouserez la fille de l'avoué et vous vous passerez du consentement de votre père.

OCTAVE, *sans chaleur*. — Oui... (*Regard fuyant*). J'avoue avoir certain scrupule à décider contre la volonté de papa.

LOUISE. — Certain scrupule ! (*D'une voix sévère*): Octave! Certain scrupule? Vous ne me dites pas la vérité.

OCTAVE. — Mais si, je vous assure.

LOUISE. — Octave, vous me cachez quelque chose.

OCTAVE. — Mais non, je ne vous cache rien du tout.

LOUISE. — Octave, vous connaissez cette fille.

OCTAVE. — Moi ? Où l'aurais-je connue ? Je ne lui ai jamais adressé la parole.

LOUISE. — Vous la connaissez.

OCTAVE. — Comment voulez-vous que ce soit possible ? Peut-être n'y avez-vous jamais pensé, mais je vis comme une bête de somme, sans même avoir un ami. Et vous en êtes à supposer que je peux entretenir des relations avec une femme.

LOUISE. — Pourquoi votre père a-t-il

affirmé que vous aimiez la Langouste? Et pourquoi ne l'avez-vous pas démenti ?

Octave. — Vous savez bien qu'il n'accorde aucune attention à ce que je peux lui dire, sauf s'il y trouve un prétexte à me houspiller. Dès lors, à quoi bon un démenti ? J'aurais d'ailleurs mal choisi mon moment. Aujourd'hui papa a des idées si saugrenues ! Voyez pour l'araignée... A-t-il fait assez de bruit pour une simple araignée ?

Louise. — Au fait, je n'y pensais plus à cette araignée. (*Elle va au bahut et y prend le journal*). Je viens, petite sœur.

(*Louise monte sur une chaise, déplace le cadre et donne un coup sur le mur*).

Louise. — Je l'ai manquée. La voilà qui file sur le mur. Mais je l'aurai.

Octave. — Attention, vous allez tomber.

LOUISE, *descendant de sa chaise.* — Elle est là sur la plinthe. Ah ! je l'ai encore manquée ! Elle court sur le parquet.

OCTAVE. — Elle est affolée.

(*Louise et Octave se mettent à quatre pattes*).

LOUISE. — Empêchez-la de se couler sous un meuble !

OCTAVE. — Oh ! A vous ! Ne la tuez pas, surtout, je veux l'avoir vivante.

LOUISE. — Cette fois... Ah ! je l'ai !

(*A genoux sur le parquet, ils se penchent sur leur prise*).

OCTAVE. — Attendez, je vais lui couper les pattes... J'ai justement mes ciseaux.

LOUISE. — Mais non, pourquoi la faire souffrir ? Tuez-la, ou ce qui est encore mieux, jetez-la par la fenêtre, tout simplement. (*D'un ton de reproche*) : Oh ! Octave... Octave !...

Octave. — Je lui en laisse une, rien qu'une... Ah! regardez-la sur une patte! Regardez !

> (*Il éclate d'un petit rire de tête, saccadé, hystérique*).

Louise, *regardant son fils avec inquiétude*. — Ne soyez pas si nerveux, mon chéri.

Octave. — Elle est si drôle ! (*Il rit*). Plus qu'une patte... Elle est tordante... Vous la voyez bien ?

Louise. — Relevez-vous.

Octave. — Attendez, je lui coupe la tête. Ça y est... Hin ! hin !... Hin ! hin !...

> (*On entend des coups de marteau*).

Louise. — On frappe à la porte du

bas. C'est la famille de l'avoué. Allez ouvrir, et faites-les monter tout doucement. Je vais remettre de l'ordre dans ma coiffure.

(*Ils sortent par la porte du fond*).

SCÈNE V

Entre Clérambard par l'autre porte. Il est en manches de chemise, pantalon, bretelles, chapeau melon.

CLÉRAMBARD. — Qu'est-ce qu'on a encore fait de mon bouton de col ?... Personne ? (*Souriant*) : Mais si... Il y a ma petite sœur l'araignée. (*Il voit le cadre de travers, le soulève*). On a touché au cadre... Est-ce que... Araignée, où es-tu ? (*Il jette un coup d'œil circulaire, aperçoit le journal laissé sur le plancher*). Les brutes ! Ils l'ont tuée... Malgré tout

ce que je leur ai dit... (*Il se baisse*). Oh!
ils lui ont coupé les pattes! Assassins!
Tortionnaires! Bourreaux! (*Il rassemble sur le journal les débris de l'araignée*). Ma pauvre sœur, tu étais trop
petite. Ils n'ont pas eu peur de ta faiblesse.

SCÈNE VI

Entre Mme de Léré, qui jette sur le salon un regard de maîtresse de maison.

Clérambard, *levant la tête de sur son journal*. — Vous faisiez partie de la bande, vous, bien entendu?

Mme de Léré. — La bande? Avant de m'adresser la parole, commencez par me faire des excuses. Car je veux des excuses.

Clérambard. — Et moi, je veux savoir si vous avez prêté la main à l'assassinat de cette bête.

Mme DE LÉRÉ. — Quelle bête ?

CLÉRAMBARD, *lui mettant le journal sous le nez.* — Cette bête-là !

Mme DE LÉRÉ. — Mais vous êtes dégoûtant ! Qu'est-ce que c'est que ces rognures d'insectes et pourquoi me mettez-vous ça sous le nez ? C'est écœurant.

CLÉRAMBARD, *radouci.* — N'est-ce pas? Ecœurant ? Vous êtes de mon avis. Pardonnez-moi si je vous ai soupçonnée. Je suis sûr que vous êtes incapable d'un mouvement de cruauté.

Mme DE LÉRÉ. — Je ne vois pas ce qui aurait pu vous faire supposer le contraire.

CLÉRAMBARD. — De nous tous, c'est peut-être vous la plus proche de Dieu.

Je compte d'ailleurs faire quelque chose pour vous. Mais d'abord, il faudra bien vous mettre dans la tête que vous êtes un être impur, pétri d'orgueil et de mensonge, un misérable ver de terre, un répugnant scorpion.

Mme DE LÉRÉ. — Vraiment? Eh bien, moi, je vous tiens pour un mufle et un goujat !

CLÉRAMBARD. — Vous voyez, vous en êtes encore à ne pouvoir supporter de vous entendre dire vos vérités, mais comptez sur moi ! Je vous aiderai.

Mme DE LÉRÉ. — Allez plutôt vous habiller. J'entends venir nos gens et vous êtes à moitié vêtu.

CLÉRAMBARD, *regardant les restes de l'araignée.* — Quelle infamie, n'est-ce pas ? (*Se dirigeant vers la porte*) : Pauvre petite sœur !

(*Il sort*).

SCÈNE VII

Mme de Léré remet un siège à l'alignement des autres. Louise entre la première, précédant Mme Galuchon. Viennent ensuite les trois filles Galuchon, M⁰ Galuchon et Octave.

Mme GALUCHON. — Je suis si contente... Et les petites se sont tant réjouies. N'est-ce pas, petites ?

LES TROIS FILLES. — Oh! oui, maman.

LOUISE. — Je n'avais pas encore eu le plaisir de rencontrer ces jeunes filles. (*D'un ton froid*) : Elles sont charmantes.

Mme DE LÉRÉ, *à Mme Galuchon*. — Bonjour, madame. Quel plaisir pour moi !... Voilà donc ces jeunes filles que j'ai tant désiré connaître !

Mme GALUCHON. — Vous êtes trop bonne. Je vous présente Brigitte, la plus jeune... Etiennette... Evelyne, l'aînée.

(Les trois filles font une révérence).

Mme DE LÉRÉ. — Charmée, mesdemoiselles... Elles sont exquises.

Mᵉ GALUCHON, à Mme de Léré. — Je vous présente mes hommages, madame.

Mme DE LÉRÉ. — Bonjour, maître.

LOUISE. — Asseyons-nous.

(Elle s'assied dans un fauteuil, Mme Galuchon auprès d'elle. En face, Mme de Léré et Mᵉ Galuchon).

Mme DE LÉRÉ, montrant un canapé aux jeunes filles. — Mesdemoiselles.

(Les jeunes filles s'assoient. Octave reste debout).

LOUISE. — Vous voudrez bien excuser

mon mari. Ses affaires l'ont appelé en ville.

M° GALUCHON. — Hélas ! pour un homme actif, les journées ne sont plus assez longues. Il faut prendre sur ses dimanches. Moi-même, j'ai à cinq heures un rendez-vous qui va m'obliger à partir avant ma femme. C'est pourquoi, si vous le permettez, nous aborderons sans trop tarder l'affaire qui nous amène.

LOUISE. — Volontiers. Octave, conduisez donc ces jeunes filles en bas, voir la salle du duel.

M° GALUCHON. — Ah! la fameuse salle du duel !

LOUISE. — Oui, on y voit encore l'endroit exact où, d'un coup d'épée, le vieux maréchal de Clérambard cloua contre la porte le baron de Malefroi qui l'avait provoqué. C'est une curiosité historique qui peut intéresser des jeunes filles.

Mme GALUCHON. — Je crois bien ! Les petites vont être ravies... (*Aux trois jeunes filles*) : N'est-ce pas ?

LES TROIS FILLES. — Oh! oui, maman.

OCTAVE, *aux jeunes filles*. — Si vous voulez bien suivre votre guide ?

> (*Octave sort avec les filles Galuchon*).

Mme GALUCHON. — Le vicomte est plein d'enjouement.

Mme DE LÉRÉ. — C'est un garçon agréable. Il a surtout un caractère très affectueux.

SCÈNE VIII

M⁰ GALUCHON. — Monsieur le Curé nous a fait part du bon accueil que vous avez bien voulu faire à ses suggestions. De notre côté, nous ne sommes pas moins heureux que vous à l'idée d'une union si bien assortie et nous ne demandons qu'à faire le nécessaire pour la voir aboutir. (*Un silence*). Evelyne apportera en dot à votre fils un très joli domaine qui serait pour nos jeunes mariés une agréable résidence. Notez qu'ils vivraient tous les deux fort convenablement du revenu de cette propriété. (*Long silence*). En outre, une somme de cent mille francs compléterait la dot. Cent mille francs.

Louise. — Maître, je regrette qu'hier soir, monsieur le Curé ne nous ait pas précisé le chiffre de la dot. Vous auriez ainsi évité un dérangement et une discussion qui semble bien ne devoir pas aboutir. J'en suis fâchée, mais votre proposition est tout simplement dérisoire, pour ne pas dire désinvolte.

Me GALUCHON. — Oh ! madame... Désinvolte !

LOUISE. — Vous ignorez peut-être que le nom de Clérambard appartient à l'histoire de France.

Me GALUCHON. — Si j'ai été maladroit, ayez la bonté de me le pardonner. Je n'avais avancé ce premier chiffre de cent mille francs que pour amorcer l'entretien.

LOUISE. — J'ai toujours entendu vanter votre intelligence, votre probité et les sentiments de piété qui sont en honneur dans votre famille. C'est ce qui m'avait d'ailleurs prévenue en faveur de ce projet, mais nous voilà si loin de compte qu'il vaut peut-être mieux n'y plus penser.

Me GALUCHON. — Mais si! Je suis sûr que nous pouvons nous entendre.

Voyons, quelles sont au juste vos prétentions ?

LOUISE. — Je ne vois pas qu'à moins d'un million, Octave puisse décemment faire de votre fille une vicomtesse de Clérambard.

Mme DE LÉRÉ. — C'est aussi mon opinion.

Mᵉ GALUCHON. — Un million ! Grands dieux ! Savez-vous bien ce que c'est qu'un million ? Pensez-vous qu'il y ait rien au monde qui vaille d'être payé aussi cher ? Madame, vous aviez raison. Il n'y a pas d'accord possible entre nous.

Mme GALUCHON. — Ne nous décourageons pas si vite, Eugène. La comtesse n'aura pas dit son dernier mot.

LOUISE. — J'aurais souhaité passer sous silence certains aspects de la question. Mais puisque vous m'y obligez, je vous rappellerai que ce mariage ne se présente pas comme la conclusion d'une idylle. Vous imaginez bien que ce n'est pas de gaîté de cœur que l'héritier d'un grand nom et d'une illustre lignée se prépare à cousiner avec des maquignons et des épiciers, si honorables soient-ils.

M⁰ GALUCHON. — A vrai dire, ces considérations de naissance n'ont pas, dans notre milieu, l'importance que vous leur accordez dans le vôtre. Pour nous, un titre de vicomte n'est guère autre chose qu'un ornement.

LOUISE. — Dans ces conditions, il est décidément préférable que nous en restions là.

Mme GALUCHON. — Mon mari s'est laissé aller à sa vivacité et ses paroles ont sûrement trahi sa pensée. N'est-ce pas, Eugène ?

8

Mᵉ GALUCHON. — C'est vrai, j'ai été trop vif et je ne songe pas à nier que l'aristocratie de la naissance m'ait toujours inspiré des sentiments d'estime. Mais un million, madame ! Un million !

LOUISE. — J'aurais voulu aussi garder le silence sur une vérité douloureuse, ne doutant pas qu'au cours de l'entretien, elle serait constamment sous-entendue. Mais enfin, vous avez bien l'air de n'y pas penser. Quand un homme choisit une jeune fille pour en faire sa femme, c'est qu'il a été sensible à certaines séductions qui ne sont pas toutes du cœur ni de l'esprit.

Mᵉ GALUCHON. — Je sais bien... je sais bien... N'oublions pas non plus que l'amour fait souvent des miracles.

LOUISE. — Peut-être... Encore est-il nécessaire de créer les conditions du miracle. La promesse d'une compensation solide peut faire naître, en effet, dans le cœur d'un jeune homme un sentiment de reconnaissance à l'égard d'une jeune fille sans beauté et le conduire insensiblement à l'amour.

Mᵉ GALUCHON. — Je ne dis pas le contraire... mais un million !

LOUISE, *à Mme Galuchon*. — Maman vous le disait tout à l'heure, Octave est un jeune homme très affectueux.

Mme DE LÉRÉ. — Oui, c'est un enfant plein de douceur, de bonté... Il a toutes les délicatesses du cœur.

Mme GALUCHON. — Voilà bien le genre de mari qui conviendrait à notre petite Evelyne... Eugène...

Mᵉ GALUCHON. — Oui, bien sûr. Je ne demande qu'à m'entendre... Si la comtesse voulait faire un sacrifice...

LOUISE. — Croyez bien qu'il est déjà fait.

Mᵉ GALUCHON. — Accordez-moi au moins une petite diminution.

> (*Louise a un mouvement de tête, marquant qu'elle est offensée*).

Mme GALUCHON. — Eugène...

Mᵉ GALUCHON. — Allons, soit. Il faut en passer par où vous voulez, mais c'est dur.

SCÈNE IX

Entrent les trois filles Galuchon et Octave.

Mme DE LÉRÉ. — Voilà nos enfants. Hé bien, vous avez vu la salle historique ?

EVELYNE. — Oui, madame. C'est vraiment très, très intéressant. Monsieur Octave nous a montré la grande porte et l'endroit où l'épée du comte de Clérambard est entrée dans le bois. C'est émouvant.

(*Elle s'assied sur le canapé avec ses deux sœurs*).

Mme GALUCHON. — Evelyne est une enfant très sensible.

Mme DE LÉRÉ. — Octave l'est aussi.

Me GALUCHON. — Dans ce temps-là, on n'y allait pas de main morte. Il devait y avoir par là-dessous quelque affaire de jupon.

Mme GALUCHON, *à mi-voix*. — Eugène... (*Montrant les trois filles*) Voyons.

LOUISE, *à Galuchon*. — Détrompez-vous, il s'agissait d'une querelle poétique. Le baron de Malefroi, qui se piquait d'être poète, ayant fait rimer rose avec prose, le maréchal de Clérambard

s'en était indigné et avait composé l'épi-
gramme que voici :

> La rime qu'à rose
> Le baron impose
> Ne vaut, si j'en crois
> La simple raison,
> Faire Malefroi
> Rimer avec con.

M⁰ GALUCHON, *riant*. — Ha ! Ha !...
C'est bien ce que je disais. Dans ce
temps-là, on n'y allait pas de main
morte. Ha ! ha ! ha ! Faire Malefroi
rimer avec... Ha ! ha !

EVELYNE. — C'est adorable ! Rimer
avec con !

Mme GALUCHON, *sévèrement*. — Evelyne !... Ne lui en veuillez pas. Elle
ignore absolument ce que signifie ce
mot. Je puis vous le jurer.

Mme DE LÉRÉ. — Je n'en suis guère

surprise. Soyez sûre que ma fille l'ignore aussi.

M° GALUCHON. — La comtesse?... Ha! ha! ha!... Vraiment, vous ne savez pas... Ha ha !

(*Long silence. Louise paraît gênée*).

Mme GALUCHON. — Evelyne s'est toujours beaucoup intéressée à la poésie.

LOUISE. — J'adore la poésie. Je ne vis que pour la poésie !

Mme GALUCHON. — Vous savez qu'elle écrit des vers délicieux, absolument délicieux.

EVELYNE, *protestant*. — Oh ! maman!

Mme GALUCHON. — Tenez, elle a composé dernièrement trois poèmes que M. le Chanoine Laugier a trouvés très bons. Il est pourtant difficile.

Louise. — Je vous félicite, mademoiselle, et j'espère être admise à entendre
des vers aussi excellents.

Mme de Léré. — Pour ma part, je
suis impatiente.

Octave, *d'une voix maussade*. — Moi
aussi.

Mme Galuchon. — Evelyne, tu vas
réciter ton dernier poème.

Evelyne. — Mais, maman, j'ai peur
d'ennuyer.

Mme de Léré. — Votre modestie est
de bon augure.

Mᵃ Galuchon. — Allons, mignonne,
ne te fais pas prier davantage.

Evelyne, *se levant*. — Je vais réciter
« Premiers beaux jours ».

                    (*Elle tousse, puis récite*).

Le printemps succède à l'hiver.
Voici fleurir la primevère
Et la modeste violette
Qui embaume les bois en fête.
Déjà les champs ont reverdi
Et les prés partout refleuri.
Naguère endormie, la nature
Revêt sa plus riche parure.
L'aubépine...

SCÈNE X

Evelyne s'interrompt. Clérambard, redingote et chapeau melon, vient d'entrer. Il s'arrête devant sa femme et, lentement, croise les bras.

CLÉRAMBARD. — Où est votre sœur l'araignée ?

LOUISE, *à mi-voix*. — Voyons, Hector, vous n'allez pas, en ce moment...

CLÉRAMBARD, *haussant la voix*. — Où est votre sœur l'araignée ?

LOUISE. — Mais je ne sais pas, moi. Elle doit être derrière le cadre.

Mᵉ GALUCHON. — Vous avez perdu quelque chose ?

LOUISE. — Non, ce n'est rien.

Mme DE LÉRÉ. — Mais qu'est-ce qui se passe ?

CLÉRAMBARD. — Elle n'est pas derrière le cadre.

LOUISE. — Il faut qu'elle se soit cachée quelque part.

OCTAVE. — Peut-être sous un meuble.

Mme DE LÉRÉ. — Mais enfin, de qui et de quoi parlez-vous ?

CLÉRAMBARD, *à Louise et à Octave*. — Non, votre sœur n'est pas sous un meuble. Où est votre sœur ?

LOUISE. — Que voulez-vous que je

vous dise ? Je n'étais pas chargée de la surveiller.

Mme DE LÉRÉ. — Quelle sœur ? On me cache quelque chose.

OCTAVE. — Elle se sera tout bonnement échappée de la pièce.

CLÉRAMBARD. — Non, elle ne s'est pas échappée. Et vous le savez bien, tous les deux, puisque vous l'avez tuée. Lâchement, sauvagement, après lui avoir arraché les membres.

LOUISE. — Je vous en prie, Hector. A vous entendre, on croirait que nous sommes vraiment des meurtriers.

CLÉRAMBARD. — Oui, vous êtes des meurtriers et des tortionnaires.

LOUISE. — Toute cette histoire est grotesque.

CLÉRAMBARD. — Non, elle est ignoble, elle est révoltante ! Mais j'entends qu'une pareille abomination ne se renouvelle pas dans ma maison, et j'exige qu'avant quinze jours, il y ait au moins trois toiles d'araignée dans chaque pièce. Assassiner une créature innocente qui venait chercher asile sous notre toit ! Deux monstres, voilà ce que vous êtes.

LOUISE. — Pourquoi accusez-vous aussi Octave? C'est moi qui ai tué l'araignée, mais lui n'y est pour rien.

CLÉRAMBARD. — C'est vrai ?

LOUISE. — Oui, c'est vrai.

CLÉRAMBARD. — Octave ?

OCTAVE, *gêné*. — En effet, je n'y suis pour rien.

CLÉRAMBARD, — Ah ! tant mieux, mon garçon. Vous m'ôtez un poids de sur le cœur. L'idée que vous aviez pu assassiner cette petite bête me tourmentait beaucoup. Je vous trouvais tellement indigne d'épouser celle que vous aimez que j'avais presque renoncé à ce projet. Mais puisque vous êtes innocent, je vais pouvoir demander sa main. (*Sourire des Galuchon et frétillement d'Evelyne*). Tenez, je veux oublier un moment le crime de votre mère et ne plus penser qu'à ce mariage. Je veux me réjouir de voir entrer dans notre famille une épouse aussi admirable. (*Mᵉ Galuchon se lève, la main sur le cœur*). Les voisins nous diront : « Comment, vous mariez votre fils à cette putain ? »

(*Mme Galuchon pousse un cri. Louise s'empresse auprès d'elle*).

Mᵉ GALUCHON. — Monsieur, vous n'avez pas le droit de parler ainsi de ma fille.

EVELYNE. — Mais, papa, puisque monsieur Octave m'épouse.

CLÉRAMBARD, *à Octave*. — Vous n'avez donc pas mis ces personnes au courant?

OCTAVE. — Comment voulez-vous?

CLÉRAMBARD. — Madame, et vous, monsieur, pardonnez-moi. Vous avez pu croire que je parlais de cette jeune demoiselle, mais c'est un malentendu. J'ai pour Octave de grandes ambitions et j'ai visé pour lui plus haut que votre fille.

Mme GALUCHON. — Par exemple! Nous faire cet affront!

           (*Louise l'apaise*).

CLÉRAMBARD. — Encore une fois, je vous demande pardon. (*A Octave*) : Soyez tranquille, je vous promets de plaider votre cause autant qu'il est possible.

      (*Il se dirige vers la porte*).

RIDEAU

ACTE III

Une pièce aux murs passés à la chaux. Au fond, un lit de fer, étroit. A gauche, un petit poêle de fonte à très long tuyau. A droite, escalier de trois marches accédant à la porte et, plus loin, une fenêtre étroite. Deux chaises, une cuvette de fer et un buffet bas, en bois blanc, complètent l'ameublement de la Langouste.

SCÈNE I

La Langouste est assise sur le lit. Un dragon
en manches de chemise et culotte rouge, bou-
cle ses houseaux. Sur une chaise sont posés
sa tunique, son sabre, son casque à crinière.

LE DRAGON. — J'ai senti qu'avec cet
homme-là, on allait s'entendre. Ça n'a
pas traîné. Buzard et moi, on est tout
de suite tombé copains. Il me dit :
Alors ? Moi, je lui dis : Alors ?

(Il rit).

LA LANGOUSTE. — Habille-toi vite.

LE DRAGON. — Remarque bien, Buzard, je le connaissais déjà. Avant d'être là, il était au deuxième escadron, mais je le connaissais. Je savais même qu'il s'appelait Buzard.

LA LANGOUSTE. — Donne-moi une cigarette.

LE DRAGON. — Je peux pas. J'en ai plus que trois. Buzard, je ne mens pas. Je connaissais Buzard, mais dire qu'on était des copains, c'est pas vrai. On se connaissait, quoi.

LA LANGOUSTE. — Tu nous endors, avec ta berceuse.

LE DRAGON. — Quoi ?

LA LANGOUSTE. — Je dis que tu nous endors.

LE DRAGON. — Attends, tu vas voir...

Tiens, tu voudrais pas me tenir le bout de ma ceinture ?

La Langouste. — Non, mais, dis, tu me prends pour ta femme de chambre, maintenant ?

Le dragon. — Oh ! je te demandais ça... Je vais l'attacher au pied du lit.

La Langouste. — C'est bon. Je vais la tenir.

(*La Langouste prend dans sa main une extrémité de la longue ceinture de flanelle bleue, dans laquelle le dragon s'enroule sans cesse de parler*).

Le dragon. — Pour t'en revenir à Buzard...

La Langouste. — Ah ! non, autre chose !

Le dragon. — Attends, tu vas voir...

Tous les deux, on se met à causer, Buzard...

LA LANGOUSTE. — Passe la main avec ton Buzard. J'en ai jusque-là de ton Buzard !

LE DRAGON. — Attends, tu vas voir. Buzard, il me parle de toi. Il dit : « Mon vieux, je connais une femme, mais alors une femme... » Moi je lui réponds : « Je demande pas mieux. » Mais voilà qu'hier, Nicolas...

LA LANGOUSTE. — Quel Nicolas ?

LE DRAGON. — Ben quoi, l'adjudant. L'adjudant Nicolas.

(*Il enfile sa tunique*).

LA LANGOUSTE. — Ah ! assez ! Parle-moi plutôt de ta cambrousse. T'as une famille, t'as des parents, t'as des sœurs?

LE DRAGON. — Je vois pas pourquoi

j'irais parler de mes sœurs à une putain.

La Langouste. — Elles doivent avoir la gueule fraîche, oui, tes sœurs. Je voudrais les voir, tiens.

Le dragon. — T'occupe pas de mes sœurs. Mes sœurs, elles ont tout ce qu'il leur faut. Et pour ce qui est de Buzard, dis-toi bien une chose. C'est que si je n'avais pas connu Buzard, une supposition, je ne serais peut-être jamais venu chez toi. Et en tout cas, pas aujourd'hui.

La Langouste, *ricanant*. — Sûrement que la journée m'aurait paru longue.

Le dragon, *il boucle son ceinturon, auquel est accroché son sabre, et prend une cigarette*. — Chez toi, dans un sens, ce n'est peut-être pas cher... (*Il allume sa cigarette*). Mais si on veut bien réfléchir...

LA LANGOUSTE. — Ça va. Fous le camp.

LE DRAGON. — Sans parler de la chambre...

LA LANGOUSTE. — Allez, bonsoir. Oublie pas ton panama.

LE DRAGON, *il se coiffe de son casque à crinière.* — Chez toi, y a pas seulement une glace.

LA LANGOUSTE. — T'inquiète pas. T'es tout ce qu'il y a de mignon.

LE DRAGON. — Alors, bonsoir. (*La main sur le bouton de la porte*): D'après ce que m'avait dit Buzard, j'aurais quand même cru que c'était autre chose. (*Il ouvre la porte*). Je crois que voilà du monde.

(*Il disparaît, laissant la porte entr'ouverte*).

SCÈNE II

Clérambard apparaît au haut des trois marches.

CLÉRAMBARD. — Mademoiselle.

LA LANGOUSTE. — Ah ! monsieur le Comte. C'est gentil de venir me voir. Entrez.

CLÉRAMBARD, *il entre.* — Je ne vous dérange pas ?

LA LANGOUSTE. — Je suis toute seule. Ça tombe à pic. (*Elle rit et avance une chaise*). Tiens, assieds-toi, mon gros lapin.

CLÉRAMBARD. — Merci.

  (*Il prend le dossier de la chaise et reste debout*).

LA LANGOUSTE. — Alors, quoi, on a envie de s'amuser un peu ?

CLÉRAMBARD. — A vrai dire, ma visite a un tout autre but.

LA LANGOUSTE. — Oh ! alors, pardon. Excusez.

CLÉRAMBARD, *regardant la chambre*. — Je vous en prie. Comme c'est beau, chez vous ! On s'y sent déjà près du ciel. Vous, au moins, vous ne faites pas de mal aux araignées.

LA LANGOUSTE. — C'est vrai que les toiles d'araignées, ce n'est pas ce qui manque ici. Bien sûr que je devrais les ôter, mais je finis par ne plus les voir. Et la vérité, c'est que les araignées ne me gênent pas.

CLÉRAMBARD. — Ah ! j'avais raison, je le pressentais. Vous aimez les bêtes, les plus petites, les plus humbles, et vous les protégez de tout votre amour. Léonie Vincent, vous êtes un ange, une princesse du ciel et promise au ciel.

Maintenant que je vous connais un peu plus, je me sens intimidé. Je ne sais plus si je peux me permettre encore de vous dire ce qui m'amène.

La Langouste. — Allez-y. Vous savez bien qu'avec la Langouste, il n'y a pas besoin de se gêner.

Clérambard. — Adorable humilité ! J'ai bien peur que ce malheureux soit indigne. (*Soupir*). Enfin, nous verrons bien... Je vais peut-être vous surprendre, et peut-être aussi vous scandaliser.

La Langouste. — Me scandaliser, ça m'étonnerait. Je ne vois pas trop ce que vous pourriez me sortir.

Clérambard. — Est-ce que vous connaissez mon fils ?

La Langouste. — Attendez... Ce n'est pas lui que j'ai rencontré chez vous hier au soir ? Un grand sifflet, l'air un peu andouille.

CLÉRAMBARD. — Oui, je vois que vous le connaissez. C'est de lui, justement, qu'il s'agit. En deux mots, voilà toute l'affaire. Mon fils Octave vous aime.

LA LANGOUSTE. — C'est facile. (*Souriant*) Une politesse en vaut une autre. Je le laisse faire son prix.

CLÉRAMBARD, *secouant la tête, l'air attendri.* — Loyale. Oh ! j'en étais sûr. Autant de plus à ajouter à vos mérites. Amour, humilité, bonté, loyauté. Mais je n'ai pas su me faire comprendre. Mon fils vous aime et désire vous épouser.

LA LANGOUSTE. — Dites donc, j'aime pas qu'on se paie ma tête. Vos boniments au mariage, ça pourrait bien faire du vinaigre.

CLÉRAMBARD. — Est-ce que j'ai la tête d'un homme qui plaisante ?

La Langouste. — Je me doute que ça ne dit pas vous arriver souvent.

Clérambard. — Octave vous aime depuis dix ans sans oser vous le dire.

La Langouste. — Alors, c'est vrai ? C'est sérieux ?

Clérambard. — Il vous aime aujourd'hui comme au premier jour.

La Langouste. — Depuis dix ans ! Pauvre môme. Il aurait quand même pu mieux tomber.

Clérambard. — Mieux tomber ! Ma pauvre enfant... L'humilité est une grande vertu, mais qui ne doit pas nous dissimuler le visage de la vérité. Vous avez cru d'abord à une plaisanterie de ma part. Pensez-vous qu'Octave vous fasse beaucoup d'honneur en demandant votre main ? C'est mon devoir de vous avertir. Octave est une pauvre cervelle, un garçon sans volonté, et sans beaucoup de cœu non plus.

LA LANGOUSTE. — Je ne vous cois pas. Votre fils n'est pas ce que vous dites.

CLÉRAMBARD. — Hélas ! Non. Il est pire.

LA LANGOUSTE. — N'importe comment, il vaut toujours mieux que moi.

CLÉRAMBARD. — Mieux que vous ? Assurément non, mais sa vraie chance, ce serait de devenir votre mari.

LA LANGOUSTE. — Vous me faites rire. Est-ce que je peux être une chance pour quelqu'un ?

CLÉRAMBARD. — Une chance que pour ma part j'envie à Octave. Vous lui apporterez l'humilité, l'amour des araignées, la vertu de vos souffrances !

LA LANGOUSTE. — Vous déraillez. Ce

que je peux apporter à Octave, je le sais mieux que personne. Moi, ma vie, c'est vendre ma viande, me saouler, et les engueulades, les bagarres. Et si ça se trouve, la foire d'empoigne. J'ai déjà été en prison trois fois.

CLÉRAMBARD. — Chère petite. En prison.

LA LANGOUSTE. — Si j'étais mariée, je tiendrais pas une heure entre le pot-au-feu et le fer à repasser. Faudrait que je cavale. Au milieu de la nuit, en rentrant chez nous avec une biture au vin rouge, je flanquerais aussi bien une trempe à Octave.

CLÉRAMBARD. — Mais oui ! Mais bien sûr !

LA LANGOUSTE. — Quoi ?

CLÉRAMBARD. — Vous êtes la femme qu'il faut à mon fils.

La Langouste. — Minute. Je me vois pas encore fiancée. Je me sens comme un charbonnier devant du linge blanc. Remarquez que mon mari, je l'aimerais bien, mais moi, le sentiment, ça me pousse au vin rouge. Je me connais, mon époux, je lui ferais honte à tous les tournants de l'existence. C'est comme les personnes distinguées, je résisterais pas, je leur enverrais des grossièretés et des trucs cochons en pleine table. Et ça, monsieur le Comte, vous n'y pouvez rien, c'est le vice des putains.

Clérambard. — Pardonnez - moi, j'avais deviné une partie de vos mérites, mais je ne m'attendais pas à trouver chez vous une humilité aussi parfaite, un détachement aussi simple et aussi complet des vanités du monde.

La Langouste. — Vous me parlez

drôlement. Je suis toujours à me demander si vous êtes sérieux.

CLÉRAMBARD. — Je vous parle avec
tout l'élan, toute l'ardeur que m'inspi-
rent l'admiration, la joie de vous découvrir plus belle que je ne vous avais
vue d'abord.

LA LANGOUSTE. — Alors, vous me
trouvez bien ?

CLÉRAMBARD. — Je vous aime déjà
comme ma fille.

LA LANGOUSTE, *lui passant un bras*
autour du cou. — Vrai ? Vous m'aimez
un petit peu ?

(*Elle se presse contre lui*).

CLÉRAMBARD, *lui prenant la taille*
comme sans y penser. — Je vous aime
pour toutes vos perfections.

LA LANGOUSTE. — Moi aussi, je vous
aime bien. Vous ne croyez pas que

tous les deux, on est fait pour s'accorder ?

CLÉRAMBARD. — Je l'ai compris au premier moment.

LA LANGOUSTE, *la tête renversée en arrière, elle le regarde avec des yeux provocants.* — J'ai tellement besoin d'affection !

CLÉRAMBARD, *la voix rauque.* — Vous en aurez !

LA LANGOUSTE. — Avec vous, on a envie d'être gentille.

(Elle rit).

CLÉRAMBARD. — Soyez gentille.

LA LANGOUSTE. — Mon gros loup !

(Clérambard la serre contre lui d'un mouvement brusque et se penche sur son visage. A cet instant, le chant d'un oiseau emplit

*la chambre. Clérambard écarte
la Langouste et passe la main
sur son front. Le chant cesse).*

CLÉRAMBARD. — Mon Dieu, pardonnez-moi. La nuit avait envahi mon cœur. J'étais près de céder à la plus abominable des tentations. Au bord de l'abîme où j'allais entraîner une créature innocente, j'ai été retenu par ce message mélodieux du petit pauvre d'Assise, mais je n'avais pas mérité une grâce aussi particulière. Seigneur, comme je suis faible encore et complaisant aux entreprises du démon ! Si je laisse un moment s'écarter de vous ma pensée, je ne suis plus que moi-même et, livré à mes instincts, livré à ma pauvre raison tremblante, je retombe à la boue, je retourne à la violence, à la chiennerie. Seigneur, pourquoi votre présence n'est-elle pas en moi à tout instant ? Hélas ! Je le vois

bien, c'est qu'il me manque le secours
de la prière, c'est que mes lèvres n'ont
pas encore appris à murmurer sans
cesse votre saint nom qui m'avertirait
du danger. (*A la Langouste après un
silence*). Ma pauvre enfant, vous qui
pensiez vous abandonner à l'amitié
d'un père, méprisez-moi comme je mérite de l'être. Je ne suis qu'une bête
lubrique... Un cochon ! Un cochon !

La Langouste, *riant.* — Vous n'avez
pas vu que c'est moi qui vous ai cher-
ché ? Naturellement que je n'aurais
pas dû, mais je ne pensais pas non
plus que vous étiez dans des idées de
curés. Je me suis laissée aller aux ha-
bitudes du métier, sans réfléchir plus
loin.

Clérambard. — Léonie, vous m'êtes
à présent plus chère que jamais, mais
n'essayez pas de me trouver des ex-

cuses. Vous me fâcheriez. Quand je
pense que j'étais venu vous demander
votre main pour mon fils et que je
n'ai pas craint de serrer dans mes bras
la femme dont j'espérais faire ma bru,
je sens me monter au front le rouge de
la honte. Ce crime que j'allais com-
mettre, Léonie Vincent, savez-vous que
ce n'était rien de moins qu'un inceste ?

LA LANGOUSTE. — Qu'est-ce que vous
allez chercher !

CLÉRAMBARD. — A vrai dire, j'avais
consenti à l'inceste. Que dis-je ? Mais
je l'ai commis en esprit. Ah ! Misérable
chair ! Je suis un satyre, un cochon in-
cestueux !

LA LANGOUSTE. — Mais non, mais non.
Ecoutez, même si vous aviez été jusqu'au bout, je vous assure que c'était
peu de chose.

CLÉRAMBARD. — N'essayez pas non plus de me rassurer. Dieu merci, je suis conscient de la noirceur de mon crime. Je n'entends d'ailleurs pas le tenir secret. Dussé-je en crever de honte, je le confesserai bien haut à ma femme, à ma belle-mère et, bien entendu, à mon fils.

LA LANGOUSTE. — Dites donc, à propos, j'aimerais bien le voir, votre Octave.

CLÉRAMBARD. — Je vous l'envoie tout de suite et je reviendrai le chercher un peu plus tard. Quel que soit l'accueil que vous ferez à Octave, j'ai à vous parler d'une autre chose qui me tient encore plus à cœur que ce mariage. A tout à l'heure.

LA LANGOUSTE. — Salut.

(*Clérambard sort*).

SCÈNE III

Léonie prend dans le tiroir du buffet un miroir à main et un poudrier. Tout en se maquillant, elle chante.

LÉONIE.

Pendant vingt ans trimant à la fabrique,
Dans l'atelier aux vapeurs méphytiques
Il a donné ses forces sans compter,
Et maintenant, l'courageux ouvrier...

SCÈNE IV

LA LANGOUSTE. — Entrez !

M° GALUCHON, *passant la tête par l'entrebâillement de la porte.* — Coucou, c'est votre petit Galuchon qui vient folâtrer. (*Il entre*). Ah ! J'ai eu peur. Je viens de croiser une ombre dans l'escalier. Heureusement, il faisait noir. Un client ?

La Langouste. — Ça me regarde.

Mᵉ Galuchon. — Je vous trouve plus excitante que jamais. Vous avez un air... Hou !

La Langouste. — Qu'est-ce qui te prend ? Tu ne viens jamais le dimanche.

Mᵉ Galuchon. — Je me suis échappé en prétextant un rendez-vous d'affaires. Depuis hier soir, je suis obsédé par le souvenir de notre dernière rencontre. Ce matin, je me suis levé à cinq heures, soi-disant pour expédier un travail, en réalité pour aller regarder vos photos. J'avais choisi les meilleures, celles que je cache dans un volume de droit canon. Hou ! Je n'en pouvais plus. Chez moi, à la messe, à table, en visite, je

ne pensais qu'à ma Langouste. Je
croyais la voir dans sa chambre, allon-
gée sur son petit grabat. Tout me parlait d'elle. Dehors, je regardais les pla-
tanes. Leurs grosses branches four-
chues s'ouvraient comme des cuisses.

(Il rit).

LA LANGOUSTE. — T'as l'air bien malade.

Mᵉ GALUCHON. — Dans le brouillard
la colline s'arrondissait comme une
croupe impérieuse.

LA LANGOUSTE. — Ferme ça. Aujour-
d'hui, j'ai pas la tête à t'entendre di-
vaguer.

Mᵉ GALUCHON. — Vous avez raison,
je perds du temps. Par devant nous,
Galuchon Eugène, avoué, établi en la
rue Fantin, a comparu en chemise et
en pantalon, mais sans autre empêche-

ment de voir ni de toucher, demoiselle Langouste, de son état fille publique, domiciliée ruelle aux Brebis où elle a boutique de délices, laquelle Langouste, de nous requise et pour la somme de quinze francs... (*Il tire son portefeuille, donne de l'argent, mais, comme il veut l'enlacer, elle le repousse rudement*). Oh ! Je vous ai fâchée ?

La Langouste. — Tu tombes mal. Je suis dans un bon jour.

Mᵉ Galuchon. — Je me suis pourtant conduit comme d'habitude. J'ai prononcé les paroles rituelles. J'ai avancé la main...

(*Il refait le geste d'enlacer la Langouste*).

La Langouste. — Enlève tes pattes.

Mᵉ Galuchon, *irrité*. — Vous n'avez

sans doute pas réfléchi que si je laisse ici quarante-cinq francs par semaine, j'achète certains droits qui ne peuvent pas être mis en discussion.

La Langouste. — Je discute pas. Je te dis de t'en aller.

Mᵉ Galuchon. — Vous n'allez tout de même pas me laisser partir comme ça ?

La Langouste. — Allons, dehors.

Mᵉ Galuchon. — Doucement, je viens de vous donner de l'argent.

La Langouste. — Quoi ? Quel argent ?

Mᵉ Galuchon. — Les quinze francs...

La Langouste. — Ça va, on n'en parlera plus.

Mᵉ Galuchon. — Ah ! Permettez ! Je n'admettrai pas...

SCÈNE V

La porte s'ouvre. Octave apparaît en haut des trois marches.

OCTAVE. — Oh ! Pardonnez-moi... Je ne croyais pas...

Mᵉ GALUCHON. — Comment, c'est vous, monsieur Octave ? Fermez la porte. Votre présence en ces lieux est pour le moins surprenante.

OCTAVE. — Maître, je suis confus, j'étais loin de penser...

Mᵉ GALUCHON. — Bien sûr, vous ne pensiez pas me rencontrer ici. (*A la Langouste*). Laissez-nous parler un peu... Mon cher vicomte, je me demande lequel de nous deux est le plus surpris de la rencontre. A la réflexion, je crois bien que c'est moi. Notez que je ne vous fais pas de reproche et que, pour ma part, j'ai la conscience tranquille... Je trouve chez cette fille un délassement, une détente... l'oubli passager des fatigues et des soucis que je m'impose dans l'accomplissement de la tâche quotidienne. Où est le mal ? J'arrive à un âge où, après avoir assis solidement mes affaires et élevé dignement mes enfants, il m'est permis de penser un peu à moi. C'est bien votre sentiment ?

Octave. — Certainement, maître.

Mᵉ Galuchon. — Vous, mon cher vicomte, vous êtes un jeune homme de vingt-deux ans. C'est l'âge où l'on envisage sérieusement les problèmes difficiles que pose l'obligation d'asseoir convenablement son existence, de fonder une famille. Le temps n'est pas venu encore de chercher l'évasion dans des plaisirs frivoles où seul un homme mûr peut trouver matière à d'utiles réflexions. Vous n'avez donc pas les mêmes raisons que moi de venir ici et je suis sûr que vous ne vous y sentez pas pleinement autorisé par votre conscience.

OCTAVE. — Oh ! Ma conscience !

M° GALUCHON. — Encore une fois, il n'est pas question de reproche. Je suis assez compréhensif pour admettre que ces sortes de jeux ne compromettent en rien votre sentiment loyal pour ma fille Evelyne. Ayons seulement la prudence de ne parler à personne de cette rencontre et nous finirons par l'oublier nous-mêmes. Vous venez souvent ?

OCTAVE. — C'est la première fois.

M° GALUCHON, *s'esclaffant.* — Non ! Ah ! C'est trop drôle ! Vraiment, vous n'avez pas de chance. Allons, jeune homme, je ne vous retiens plus.

Octave. — Excusez-moi, mais papa doit venir me retrouver ici.

M⁰ Galuchon. — Quoi ? Votre papa... Ah ! C'est du propre !

Octave. — Maître... Je dois vous dire la vérité. La femme que mon père veut me faire épouser... C'est elle.

M⁰ Galuchon. — Comment ?

Octave. — En présence des jeunes filles il nous était difficile de vous renseigner plus précisément.

M⁰ Galuchon. — C'est juste. Mais la comtesse aurait pu m'informer sans être entendue de ma femme ni de mes filles.

Octave. — Peut-être, mais c'était assez gênant.

M⁰ Galuchon. — Ainsi donc, l'épouse que vous destine votre père, celle dont

il entend faire une vicomtesse de Clérambard, serait cette fille publique ?
Ah ! Je comprends que la comtesse ait
eu honte de nous la nommer. Mais
pourquoi veut-il que son fils épouse
une catin ? Quelles raisons vous a-t-il
données d'un choix aussi extravagant ?

OCTAVE. — Je ne les ai pas comprises
très clairement. Il m'a semblé qu'elles
étaient surtout d'ordre moral et reli-
gieux.

M⁰ GALUCHON. — Vous vous moquez
de moi ? Je voudrais savoir ce que peuvent bien faire ici la morale et la reli-
gion.

OCTAVE. — Je ne sais pas.

M⁰ GALUCHON. — N'importe, n'est-ce
pas ? Vous êtes décidé à épouser ma
fille en vous passant du consentement
de votre père ?

Octave. — Oui... Mais ce sera difficile. Je porte à mon père trop d'affection et de respect pour me dresser contre lui, et passer outre à sa volonté. Je
ne peux pas lui faire cette peine.

M⁰ Galuchon. — Allons donc ! Voilà
ce que vous lui direz...

Octave. — Vous pourriez le lui dire
vous-même. Vous auriez plus de chan-
ces de vous faire écouter et vos raisons
auraient plus de poids que les miennes.
Il va être là dans une minute.

M⁰ Galuchon. — Oh ! Mais alors, je
file. Surtout, ne vous laissez pas enve-
lopper, ne vous engagez à rien... Venez
me voir demain... (*Haussant la voix
pour la Langouste*). Et vous, ne vous
laissez pas prendre à cette histoire de
mariage qui ne pourrait que vous attirer des ennuis. Adieu !

La Langouste. — Salut !

Mᵉ Galuchon. — Je pars le cœur lourd de regrets.

(Il sort).

SCÈNE VI

La Langouste s'approche d'Octave.

La Langouste. — Qu'est-ce qu'il vient de me raconter, que je pourrais m'attirer des ennuis ?

Octave. — C'est qu'il veut me faire épouser sa fille.

La Langouste. — Laquelle ? La plus laide ?

Octave. — Bien sûr.

La Langouste. — Alors ?

Octave. — Je ne veux pas.

(Silence).

La Langouste. — C'est vrai ce qu'il a dit, ton père ? que depuis dix ans...

Octave. — Oui, depuis dix ans, j'attends le moment de me trouver seul avec vous. Quand j'ai commencé à venir en cachette rôder dans votre rue, j'étais encore un enfant. Il me tardait d'être un homme pour enfin oser. Mais l'audace devait toujours me manquer. Combien de fois m'est-il arrivé de venir jusqu'à l'entrée du couloir en comptant mes sous dans ma poche. Quelquefois, je voyais entrer un soldat. Il me semblait vous voir, vous, le corps en mouvement et disant des choses que je me répétais tout bas.

La Langouste. — C'est drôle, comme ça les travaille, les mômes. (*Elle s'approche de lui, le frôle*). Et maintenant?

Octave. — Depuis que mon père m'a parlé de ce mariage, j'ai des moments

11

de folie. Rien ne compte plus pour moi, famille, considération, argent, héritière, sécurité. Il n'y a plus de raison qui puisse me tenir. Je veux vous épouser, je veux me vautrer avec vous jusqu'à la fin de ma vie et tant pis pour l'hôtel de Clérambard, tant pis pour l'argent, tant pis pour le nom, tant pis pour tout. Je m'en fiche, pourvu qu'un jour je sois satisfait, rassasié, que je ne sente plus ce tourment, cette angoisse de chaque instant, que je me délivre de cette souffrance qui est en moi comme une bête... une sale bête d'araignée dégoûtante que je m'épuise à contenir.

(*Il s'éponge le front*).

La Langouste. — Ben, mon vieux.

Octave. — Vous voulez ? Hein, vous voulez ?

La Langouste. — J'ai pas dit ça.

Octave. — Vous couchez bien avec Galuchon.

(*Silence*).

La Langouste. — Alors t'avais pas autre chose à me dire ? Moi, je croyais qu'on allait entamer le duo. J'attendais des petits mots sucrés, de la chansonnette à l'émotion. Au lieu de ça...

SCÈNE VII

Clérambard frappe et entre.

Clérambard. — Ah ! Je viens d'avoir encore une scène avec votre mère. La pauvre femme ne comprend rien. Et ma belle-mère encore moins. Eh bien ! Qu'est-ce que vous pensez de mon fils, Léonie ?

Octave, *à son père.* — Je veux

l'épouser. C'est vous qui avez eu l'idée
de ce mariage. Je veux l'épouser le
plus tôt possible.

CLÉRAMBARD. — Naturellement, mais
vous n'êtes pas seul à en décider. Qu'en
pensez-vous, Léonie ?

LA LANGOUSTE. — Pour être franche,
ce n'est pas ce que j'attendais.

CLÉRAMBARD. — Voilà qui est clair et
l'accent de votre voix ne trompe pas.
(*A Octave*). Vous entendez ? Vous êtes
indigne de Léonie. Je croyais qu'il y
avait une petite chance, mais l'orgueil
paternel m'aveuglait une fois de plus.
Allons, vous n'avez plus rien à faire
ici. Partez !

OCTAVE. — Et moi, je veux l'épouser.
Vous me l'avez promis. Je ne peux pas
renoncer à elle. Je reste ici.

CLÉRAMBARD. — Octave, ne m'échauffez pas les oreilles.

OCTAVE, *il a un mouvement vers la Langouste*. — Je veux être à elle ! Je veux l'avoir, je veux coucher avec elle!

CLÉRAMBARD, *il le rattrape par le col et le gifle*. — Voyez-vous ce cornichon? Bouffi de suffisance ! Et avec ça, luxurieux comme pas un ! Je ne voudrais pas me flatter, Léonie, mais je crois que cet animal-là est encore plus répugnant que son père.

OCTAVE. — Je ne renoncerai pas ! Je veux me vautrer sur son corps, je veux...

CLÉRAMBARD. — Goujat ! Hors d'ici ! (*Il prend Octave par le bras*). Vous faites rougir votre père !

LA LANGOUSTE. — Arrêtez, soyez pas méchant avec lui. D'abord, vous ne m'avez pas comprise. Ce que j'ai voulu dire, c'est que les gringalets dans son genre, c'est pas tout à fait mon type d'homme. N'empêche que quand il m'a causé d'amour, j'ai eu comme un coup de langueur dans le poitrail. Encore maintenant, j'en suis toute chose. J'ai les intérieurs en duvet de canard. Je ne savais plus où j'en étais. Je voulais prendre le temps de m'y reconnaître. Les affaires d'amour, c'est sérieux, surtout quand il y a le mariage à la clé.

CLÉRAMBARD. — Vous avez raison, mais je n'admets pas le langage qu'il vient de tenir devant vous. Je n'admets pas ces rugissements de la lubricité.

LA LANGOUSTE. — Parce que vous n'y connaissez rien. Pour moi, justement, c'est le cri de la passion, et c'est bien ce qui me fait réfléchir. Remarquez, quand vous êtes arrivé, Octave ne m'avait pas tout dit. Et l'amour, vous savez ce que c'est... Bien souvent, il suffit d'un rien. Un mot gazouillé, un retour des prunelles, on se trouve chaviré. Allons, viens, Octave, viens me roucouler ça dans l'oreille.

CLÉRAMBARD. — Prenez garde, Léonie, ne perdez pas votre sang-froid.

LA LANGOUSTE, *entraînant Octave sur le devant de la scène.* — Soyez tranquille, j'ai de la défense.

(*Clérambard s'assied et, tirant son livre de sa poche, lit*).

OCTAVE. — Tout à l'heure, j'étais trop ému. Mes paroles ont pu vous faire croire qu'il s'agissait d'autre chose que d'un sentiment. J'étais trop ému et je n'ai pas su vous dire toute la tendresse...

LA LANGOUSTE. — Ça va bien, range ton boniment, c'est trop tard. Et puis tu le dis mal. T'as pas encore attrapé

le ton. Et ni l'air non plus. Tu voudrais
me regarder en face, mais en douce,
t'as l'œil qui coule dans mon corsage,
qui s'enroule autour de ma viande. Ces
trucs-là, tu sais, je m'y connais un peu!

Octave. — Alors, quoi ?

La Langouste. — Je t'en veux pas,
tu sais... Et même, tu me ferais plutôt
de la peine. T'es qu'un pauvre môme,
pas solide, des nerfs de fillette, avec ça,
l'air pas bien nourri. Et depuis dix ans
que tu te retiens, dis donc, ça doit te
faire mal. C'est bon, je vais arranger
ça. A partir de maintenant, on est
fiancé. En attendant les sacrements, on
se mariera un petit peu, de temps en
temps. (*Elle lui passe les bras autour
du cou*). Monsieur de Clérambard, je
peux pas résister. J'ai vu le ciel dans
les yeux d'Octave.

Clérambard. — Chers enfants.

SCÈNE VIII

*Tandis qu'Octave et la Langouste sont encore
embrassés, Louise et Mme de Léré apparaissent sur les marches. Les deux fiancés se
désunissent.*

Louise. — Octave, rentrez à la maison, et qu'il soit bien entendu que vous
ne remettrez pas les pieds chez cette
fille.

Clérambard. — Octave, je vous prie
de rester ici, auprès de votre fiancée.
Je vous le disais tout à l'heure, votre
mère ne voit pas où sont vos véritables
intérêts. Pas plus d'ailleurs que votre
grand-mère.

Mme de Léré. — Gendre, vous devriez au moins, en face de cette fille,
avoir la décence de ne pas médire de
votre femme ni de la mère de votre

femme. (*A Octave*). Viens, mon grand, rentre à la maison.

Octave. — Non, grand-mère, je ne peux pas.

Louise. — Et pourquoi ne pourriez-vous pas ?

Octave. — Je suis déjà lié par ma promesse... D'ailleurs, papa ne veut pas.

Louise. — Ne vous retranchez pas derrière l'autorité de votre père. Il n'y a personne qui puisse vous obliger à vous déshonorer si vous n'en avez pas vous-même le désir. Vous êtes majeur, vous comprenez fort bien que ce mariage est une infamie, qu'un homme propre et sain d'esprit, à plus forte raison un vicomte de Clérambard, ne peut pas accepter une telle déchéance. Et au fond de vous-même, vous ne l'acceptez pas ?

OCTAVE. — Si.

Mme DE LÉRÉ. — Oh ! Octave !

LOUISE, *à Octave*. — Dois-je comprendre que vous êtes conscient de cette déchéance ?

(*Octave soupire sans répondre autrement*).

LA LANGOUSTE. — Laissez-le tranquille, ce pauvre mignon. Vous êtes toujours à l'embêter. Quand ce n'est pas les uns, c'est les autres. Bien la peine d'avoir des parents !

Mme DE LÉRÉ. — Gardez vos réflexions pour vous. Elles sont déplacées.

LA LANGOUSTE. — Ça se peut, mais moi, je défends mon fiancé.

CLÉRAMBARD. — Ma pauvre Louise, quand je pense que vous étiez prête à

marier ce garçon avec un sac d'écus!
Quelle leçon nous donnent ces enfants!

> (*Poussant la porte entr'ou-*
> *verte, un dragon apparaît entre*
> *Louise et Mme de Léré*).

LE DRAGON. — Oh! Pardon... Excusez... Je ne savais pas qu'il y avait du
monde... Je repasserai...

> (*Mme de Léré s'étant retour-*
> *née et comme elle le toise avec*
> *indignation, le dragon lui éclate*
> *de rire au nez, puis se retire*).

Mme DE LÉRÉ. — Quelle horreur! Il
est vrai qu'en un pareil lieu, on se
trouve exposé aux rencontres les moins
rassurantes.

LA LANGOUSTE. — Ne craignez rien,
chère madame. Ce n'est pas à vous
qu'il en avait.

LOUISE. — Hector, je vous trouve

d'une inconscience extraordinaire. Vous semblez avoir oublié tout d'un coup que notre situation matérielle est désespérée. Prenez le temps d'y réfléchir et comprenez que ce mariage est insensé. Qui donc alimenterait le ménage?... Cette... personne continuerait-elle à recevoir des soldats?

La Langouste. — Et alors! Vous n'imaginez pas que mon trésor et moi, on va se laisser mourir de faim?

Louise. — Qu'en dites-vous, Octave? Vous ne répondez pas. Il y a là, pourtant, un problème qui se pose dès maintenant et qu'il faudra bien avoir résolu le jour de votre mariage. Mais je pense que la vérité commence à vous apparaître dans son évidence impitoyable et que vous comprenez déjà l'insanité de ce projet.

Clérambard. — Louise, vous parlez

cette fois raisonnablement et votre inquiétude est des plus légitimes. Mais,
rassurez-vous, car en homme pratique,
j'ai pensé à tout. Dès demain, l'hôtel
de Clérambard sera mis en vente. Avec
le peu que nous laisseront les créanciers, nous achèterons une roulotte, un
cheval, et nous nous en irons par les
chemins et par les bois écouter la ru-
meur des hommes et la chanson des
oiseaux. Nous laisserons là les soucis
d'argent pour aller vivre dans la com-
munion des gens et des bêtes en tra-
çant derrière nous un sillon d'amour.

Mme DE LÉRÉ. — Vous ne prétendez
tout de même pas nous faire vivre
comme des romanichels ! (*Montrant la
Langouste*). Et dans cette promiscuité.

LA LANGOUSTE. — Dites donc, pas plus
que vous.

LOUISE. — Votre idée est absurde.

Je ne vois pas qu'elle apporte à nos ennuis aucune espèce de solution. Dans votre roulotte, de quoi vivrons-nous ?

CLÉRAMBARD. — C'est simple. Nous vivrons d'aumônes. Nous demanderons, au nom de Notre Seigneur, la charité aux passants des villes. Nous irons dans les fermes et dans les champs implorer les paysans. Et à tous, nous parlerons de Dieu et du commandement d'amour.

Mme DE LÉRÉ. — De mieux en mieux, il ne vous suffit pas de jeter votre fils dans les bras d'une créature et de nous changer tous en romanichels. Vous voulez encore que votre famille vive de mendicité !

CLÉRAMBARD. — Oui, c'est mon ambition, et je n'en vois pas de plus haute. J'ai beaucoup réfléchi en ces dernières vingt-quatre heures. Je me suis persuadé que la plus belle mission que se puisse proposer un homme est celle de mendier son pain et d'éveiller ainsi les sentiments d'amour, de compassion, de fraternité, qui sommeillent aux cœurs de nos semblables. Celui qui demande la charité travaille plus pour son prochain que pour lui-même. Le monde souffre de n'avoir pas assez de mendiants pour rappeler aux hommes la douceur d'un geste fraternel. Nous serons justement ces tendres missionnaires et, chaque fois que nous tendrons la main, nous aurons la joie de nous dire qu'une étincelle d'amour jaillit entre les hommes.

LOUISE. — Hector, je veux croire encore que la nuit suffira à dissiper vos rêveries. Mais si vous persistez dans ces projets, sachez que vous trouverez en moi un adversaire tenace et, si besoin est, une ennemie. Venez, maman.

(*Louise et sa mère sont sur le*

point de sortir, lorsque Cléram-
bard les retient chacune par un
bras).

CLÉRAMBARD. — Louise, est-ce bien
vous qui parlez d'être pour moi une
ennemie ?

LOUISE. — Le chagrin et la colère
m'ont emportée au delà de ma pensée.
Non, Hector, même si vos extravagances m'obligent à défendre notre famille
contre vous, je ne serai pas une ennemie puisque au fond de mon cœur je
vous plaindrai encore et je vous aime-
rai. Il tient à vous seul que je sois demain comme hier la compagne obéis-
sante et attentive à vos volontés. Mon
dévouement vous a-t-il jamais manqué
dans les jours difficiles que nous avons
traversés ? N'avez-vous pas trouvé en
moi, quand il le fallait, une auxiliaire
sûre et empressée ?

CLÉRAMBARD. — Je voulais justement vous le dire.

LOUISE. — Eh bien, sachez-le, je n'ai pas changé. Mais vous, Hector, qu'est-ce donc qui vous a changé tout d'un coup, qui vous fait aujourd'hui parler et agir au mépris de vos préoccupations les plus chères, de vos soucis les plus poignants ? N'avez-vous pas conscience de cette transformation soudaine qui s'est opérée en vous ?

CLÉRAMBARD. — Comment m'aurait-elle échappé puisqu'elle est pour moi une source de joie ineffable ? Louise ! Louise ! Vous qui m'avez si sûrement deviné, je vous sens maintenant bien proche de moi et je ne veux plus tarder de vous faire une révélation à laquelle je craignais de vous trouver mal préparée. Cette métamorphose, qui a frappé votre esprit, je la dois à un mi-

racle. Vous me comprenez bien, Louise,
un miracle !

LOUISE. — Qu'entendez-vous par là ?

CLÉRAMBARD. — Et que voulez-vous
que j'entende, si ce n'est un miracle du
ciel ?

> (*Louise et Mme de Léré, d'une
> part, Octave et la Langouste,
> d'autre part, se regardent en si-
> lence*).

Mme DE LÉRÉ. — Hector, vous avez
fourni ces dernières semaines un effort
surhumain et vous êtes exténué. Soyez
raisonnable, rentrez vous reposer.

CLÉRAMBARD, *qui semble n'avoir pas
entendu*. — C'était hier. Je venais
d'étrangler le chien du curé. Je suis descendu reprendre ma place parmi vous.
Alors, un moine est entré, et ce moine
qui m'a remis un livre, c'était saint
François d'Assise !

Louise, *d'un ton prudent*. — Vous avez pu vous méprendre.

Clérambard, *sortant le livre de sa poche*. — Ce livre que j'ai reçu de sa main, le voici ! Vous pouvez le voir, le toucher !

Mme de Léré. — Oui, mais le moine, comment se fait-il que nous ne l'ayons pas vu ?

Clérambard. — Le curé s'est levé pour prendre congé, et, en sortant de la pièce il a trouvé son chien... (*S'exaltant*) mais vivant, aboyant (*Il crie*). Il était vivant ! Le saint l'avait ressuscité ! Un miracle s'était accompli ! Un miracle !

(*Suit un silence prolongé*).

Clérambard, *il regarde tour à tour chacun des assistants*. — Vous êtes tous silencieux. Doutez-vous de mon témoignage ? Dites-le !

Louise, *avec douceur.* — Mais non, Hector, personne ici ne songe à mettre vos paroles en doute.

Clérambard, *regard soupçonneux.* — Non, vous ne me croyez pas. (*A Mme de Léré et à Octave*). Et vous ?... Et vous ?

Mme de Léré, *avec un sourire de bonté.* — Vous savez bien, Hector, que nous croyons tout ce que vous dites.

Octave. — Bien sûr.

Clérambard, *à la Langouste.* — Vous non plus, vous ne me croyez pas.

La Langouste. — Je ne voudrais pas vous vexer, mais moi, votre histoire, je la trouve dure à avaler.

Clérambard. — Pourtant, le saint s'est manifesté tout à l'heure encore,

ici-même... Oui, c'est une chose qu'il
me faut vous confesser : alors que j'en-
tretenais Léonie Vincent d'un mariage
avec Octave, j'ai été assailli par tous
les démons de la lubricité ! Une chaleur
d'enfer s'est répandue dans ma chair
et j'ai pris cette pauvre enfant dans mes
bras, je l'ai serrée, pressée contre moi
avec une ardeur insensée et j'allais me
jeter et l'entraîner dans la damnation
de la fornication et de l'inceste ! (*Son
visage s'éclaire*). Heureusement...

LOUISE, *d'une voix ferme*. — Hector,
je vous demande de rentrer à la maison avec notre fils.

CLÉRAMBARD. — Laissez... Je vous disais qu'au moment de tomber dans la
fornication, l'adultère, l'inceste...

LOUISE. — Sortons.

(*Elle sort avec Mme de Léré*).

SCÈNE IX

D'abord interdit, Clérambard court à la porte, l'ouvre et poursuit son récit dans l'entrebâillement.

CLÉRAMBARD, *haussant la voix à mesure que s'éloignent les deux femmes.* — C'est alors qu'un chant d'oiseau s'est élevé dans la chambre, un chant triste et mélodieux comme le doivent être les sanglots des anges du ciel ! Et ma chair brûlante s'est apaisée tout d'un coup ! Le repentir est entré en moi comme une eau froide et amère! (*Criant*). Sauvé! J'étais sauvé ! (*Il reste un moment haletant, près de la porte*). C'était lui ! C'était le petit pauvre ! (*Il s'élance dans le couloir, laissant la porte ouverte. On entend ses vociférations qui vont déclinant*). Il avait eu pitié de moi encore

un coup ! Il avait eu pitié de mon âme
en détresse ! Et il m'avait averti !

(*Octave va fermer la porte et
revient à la Langouste, l'air à la
fois gêné et décidé*).

RIDEAU

ACTE IV

La cour de l'hôtel de Clérambard. A gauche, porte d'entrée en pan coupé, à laquelle on accède par un escalier de quatre marches. A droite, une roulotte de profil, dont la porte et l'escalier font face au pan coupé. Un arbre derrière la roulotte, et de chaque côté, des arbres dont on ne voit que les branchages formant comme une voûte au-dessus de la scène. Banc de pierre à droite, parallèle à la roulotte.

SCÈNE I

*La Langouste et Octave sont assis sur le banc
de pierre.*

La Langouste. — Arrête un peu de
me tripoter. Je finis par avoir des bleus
sur les cuisses.

Octave. — Je voudrais les voir.

La Langouste. — Au lieu de t'éner-
ver quand c'est pas le moment, tu ferais mieux de prendre modèle sur ton
père et de te conduire en gentleman.
A quoi ça ressemble de penser toujours

à ce que tu penses ! Tu ne peux pas me faire la conversation gentiment ? Je suis ta fiancée !

OCTAVE. — Ma fiancée et bientôt ma femme... Ma femme de tous les soirs.
(Rire excité).

LA LANGOUSTE. — Toi, dans le sentiment, tu penses tout de suite au traversin. La fleurette, c'est pas ton rayon. Enfin, c'est comme ça.

OCTAVE. — Mais toi, tu m'aimes ?

LA LANGOUSTE. — Ça se peut.

OCTAVE. — Tu parais n'en être pas sûre.

LA LANGOUSTE. — C'est pas ça... Quand je pense que j'ai un sentiment pour toi, ça m'étonne un peu. Ta dégaine de tocard, ta gueule pas bien franche, tes airs de cochonnier sournois, c'est pas que ça me porte sur la peau. Au fond, c'est peut-être pas du sentiment. Ce qu'il y a, c'est que je n'ai pas l'habitude d'être demandée en mariage. Ces trucs-là, ça me monte à la crête.

OCTAVE. — Tu as tellement envie de ce mariage ?

LA LANGOUSTE. — Ben...

(*Clérambard, un carnet dans une main, un crayon dans l'autre, apparaît à la fenêtre de la roulotte*).

CLÉRAMBARD. — J'ai calculé que la vente de l'hôtel, une fois les créanciers satisfaits, doit rapporter trois mille cinq cents francs. Quand j'aurai payé la roulotte et le cheval, il nous restera donc au moment du départ quinze cents francs à distribuer aux pauvres.

LA LANGOUSTE. — Moi, si j'étais de vous, je laisserais les pauvres se débrouiller. Si vous lâchez vos quinze cents francs, c'est vous qui devenez les pauvres.

CLÉRAMBARD. — Mais c'est bien ce que nous voulons être.

> (*Il se replonge dans ses calculs et disparaît de la fenêtre*).

OCTAVE. — Pas moi ! (*A la Langouste*). Et pour la roulotte, non, merci. Coucher à cinq dans une cage à lapins, crever de faim les trois quarts du temps, n'avoir que des haillons sur le dos et tendre la main pour demander l'aumône, non et non. (*Baissant la voix*). Sans compter que j'en ai soupé de vivre sous la coupe de mon père.

LA LANGOUSTE. — Moi, je ferai comme tu feras, pourvu qu'on se marie. Mais si tu refuses de suivre ta famille dans la roulotte, je ne vois pas comment les choses peuvent s'arranger. Ou alors, tu t'installes chez moi. Mais une fois mariés, qu'est-ce qu'on ferait ? Continuer le métier, ça se peut pas. Ce serait quand même une honte que pour cent sous, un militaire puisse s'offrir la vicomtesse de Clérambard. Et puis quoi, la vie serait pas tenable. Une supposition que tu rentres chez nous, que tu trouves un dragon dans ton lit, tu pourrais te froisser. Non. vois-tu, on n'a pas l'embarras du choix. Pour nous, le mariage, c'est la roulotte.

Octave. — J'ai dit non.

(Clérambard descend de la roulotte qu'il considère en prenant quelque peu de recul).

La Langouste. — Alors, trouve autre chose.

Octave. — On verra.

La Langouste. — On verra, c'est tout ce que tu sais dire. Naturellement qu'on verra. (*Silence*). Va falloir que je rentre chez moi. J'ai mon rendez-vous.

Octave. — Quel rendez-vous ?

La Langouste. — Mon client du mardi matin.

> (*Clérambard s'approche de la roulotte et se penche pour examiner un moyeu*).

Octave. — Tu ne vas pas, tout de même, aller le retrouver ?

La Langouste. — Tu es drôle ! Avec lui, c'est mes vingt-cinq francs qui me tombent à chaque fois.

> (*Elle se lève*).

Octave. — Reste ici. Je t'interdis d'aller le retrouver.

> (*Il la saisit par le bras*).

La Langouste. — Qu'est-ce qui te prend ? Tu ne t'imagines pas que j'ai de l'argent à jeter par les fenêtres, non ?

Octave. — Tu es ma fiancée. Tu n'as pas le droit !

La Langouste. — Fiancée, c'est pas un métier. Faut manger. Allez, au revoir.

Octave. — Non ! c'est impossible... Papa ! (*Clérambard se retourne*). Léonie veut partir pour aller rejoindre un... un client !

Clérambard. — Vous avez l'air de vous en plaindre. Vous semblez n'avoir pas compris que si Léonie est la plus radieuse des fiancées, si elle répand ce parfum d'humilité qui est à mes yeux une dot inestimable, c'est qu'elle se

soumet avec simplicité aux exigences
de son métier. Considérez cette chance
que vous avez si peu méritée et ne soyez
pas si cornichon.

La Langouste. — T'entends ? C'est
ton père qui te parle.

Clérambard. — Pourtant, Léonie,
mieux vaut désormais oublier vos
clients. Vous êtes déjà des nôtres. Tout
à l'heure, l'hôtel sera vendu. Ce soir,
nous serons sur les routes. Une autre
clientèle vous attend, une clientèle
d'égarés, aux cœurs endurcis par l'orgueil, la méfiance, la misère, l'ignorance. Par votre seul geste de lui demander l'aumône, vous l'avertirez de
sa disgrâce. Vous aurez aussi à lui prêcher l'amour de Dieu, l'amour du prochain et l'amour de la croix. Vous de-
viendrez une vraie fille d'amour, une
vraie fille de joie, car chacune de vos

paroles sera pour ceux qui l'écouteront une source d'amour et de joie.

La Langouste. — Vous me dites ça. Il faudrait d'abord décider Octave.

Clérambard. — Octave fera ce que j'aurai décidé pour son bien. A vous dire la vérité, je n'ose pas fonder sur lui de grandes espérances. C'est une âme de pénombre que les vives clartés de l'amour effaroucheront peut-être toujours. Mais qui sait ? Je ne valais pas mieux que lui et Notre Seigneur m'a fait miséricorde et le petit pauvre d'Assise m'a ouvert les yeux. Ayez confiance, mon garçon. Je suis sûr que vous ferez un mendiant très convenable.

Octave. — Non. Je ne veux pas être un claquedent, un miséreux, un paria. Soyez sûr que jamais je ne mettrai les pieds dans votre roulotte.

SCÈNE II

En tenue de ville, Mme de Léré débouche de la porte de l'hôtel. Elle a un mouvement de stupéfaction à la vue de la roulotte.

Mme DE LÉRÉ. — Qu'est-ce que c'est que ça ?

CLÉRAMBARD. — C'est notre roulotte. Comment la trouvez-vous ?

Mme DE LÉRÉ. — Si c'est un cadeau que vous faites à cette personne... (*Elle montre la Langouste*). Vous avez bien choisi.

CLÉRAMBARD. — Elle est pour Léonie et pour nous tous. Venez voir l'intérieur.

Mme DE LÉRÉ. — Non, Hector, ce n'est pas la peine.

CLÉRAMBARD. — Elle est compartimentée en deux chambres. En attendant que ces enfants-là soient mariés, vous dormirez avec Léonie dans la plus petite.

Mme DE LÉRÉ. — Vous pouvez y compter.

CLÉRAMBARD. — Léonie vous parlera de la vie de saint François d'Assise, qu'elle connaît maintenant aussi bien que moi.

LA LANGOUSTE. — Ah ! oui, ce qu'il était gentil, hein ? et doux et pas fier. Un garçon en or, ce petit saint François.

CLÉRAMBARD. — Vous l'aimez, le petit pauvre d'Assise ?

LA LANGOUSTE. — Et comment ! J'aurais voulu le connaître. On se serait sû-

rement bien entendu, tous les deux. Je
l'aurais jamais lâché.

CLÉRAMBARD. — Chère enfant.

LA LANGOUSTE. — Vous pouvez dormir qu'avec moi, il aurait manqué de
rien, qu'il aurait été dorloté. Pour un
homme en sucre comme celui-là, je me
serais mise en quatre. Au labeur et
par tous les temps, « tu viens, chéri,
c'est pour les pauvres ». Lui, pendant
ce temps-là, il se faisait du lard, c'était
bien son tour. On se meublait gentiment, une salle à manger, une chambre à coucher. Tous les soirs l'apéro
chez Jules, le vendredi au cinéma...

Mme DE LÉRÉ. — Ces façons de parler sont odieuses.

CLÉRAMBARD, à la Langouste. — Votre vision de la sainteté n'est pas encore tout à fait détachée de certaines

aspirations profanes, mais j'y vois l'essentiel qui est l'amour.

Mme DE LÉRÉ. — Vous devriez avoir honte... Mais non, je ne veux pas me fâcher. A quoi bon ?... Hector, il faut que je vous demande de l'argent pour aller faire le marché.

CLÉRAMBARD. — De l'argent? Mais je n'en ai pas.

Mme DE LÉRÉ. — Comment ? Hier soir vous avez touché cent francs pour les deux pulovères... vous savez bien...

CLÉRAMBARD. — C'est vrai. Je les ai donnés à des pauvres.

Mme DE LÉRÉ. — C'est trop fort ! Vous avez donné cet argent à des inconnus et l'idée ne vous est même pas venue qu'il vous fallait nourrir votre famille ?

CLÉRAMBARD. — Non, je n'y ai pas

pensé. A vivre dans une atmosphère de miracles, je perds un peu la notion des nécessités.

Mme DE LÉRÉ. — Alors ?

(Silence).

LA LANGOUSTE. — Je vais toujours vous donner dix francs.

CLÉRAMBARD. — Merci, mon enfant. Vous nous sauvez.

(Relevant sa jupe, la Langouste prend un billet dans son bas).

Mme DE LÉRÉ, se plaçant entre la Langouste et Clérambard, elle s'adresse à lui à mi-voix . — Vous n'allez pas accepter l'argent de cette fille !

CLÉRAMBARD. — Soyons sans orgueil, mon amie. Demain, ce soir, quand nous mendierons pour l'amour de Dieu, irons-nous demander leurs cartes de visite à ceux qui nous feront l'aumône? Nous serons trop heureux d'avoir pu leur inspirer une pensée fraternelle, surtout si ces gens sont des réprouvés.

(*Prenant le billet de la Langouste, il le tend à Mme de Léré*).

Mme DE LÉRÉ. — Non, Hector, rendez l'argent à cette demoiselle.

CLÉRAMBARD. — Mais pas du tout, je le garde. Pendant que j'y pense, si vous avez quelques hardes à emporter dans la roulotte, ne tardez pas à faire votre baluchon. Dans une heure, je passe chez le notaire, où j'ai rendez-vous avec l'acquéreur, et aussitôt après nous prenons la route. Pour l'instant, je monte au grenier où j'espère trouver quelques objets utiles. (*A la Langouste et à Octave*) Venez avec moi, tous les deux, vous pourrez m'aider.

Mme DE LÉRÉ. — Octave, veux-tu
rester une minute ?

OCTAVE. — Bon.

(*Clérambard entre dans l'hôtel, suivi de la Langouste*).

SCÈNE III

Mme DE LÉRÉ. — Tu as entendu ce
que vient de dire ton père. Es-tu toujours décidé à épouser cette fille, à
monter dans la roulotte avec elle et à
vivre de mendicité ?

OCTAVE. — Non. Je reste ici.

Mme DE LÉRÉ. — Où, ici ? Dans une
heure, nous n'aurons plus de maison.
(*Silence*). Ou bien tu épouses Evelyne
Galuchon et il n'y a plus de problème.
Ou bien tu cherches une place d'em-
ployé de bureau ou d'employé de ma-

gasin à deux cents francs par mois, mais la trouveras-tu ? En tout cas, il est temps de prendre une décision.

Octave. — Je vais voir. Je vais réfléchir.

SCÈNE IV

Entre Louise, en tenue de ville, venant du côté opposé à l'hôtel.

Mme de Léré, *à Louise.* — Tu as vu cette roulotte ?

Louise. — Oui. Tout à l'heure, quand je suis sortie, Hector était en train de la mettre en place.

Mme de Léré. — Et tu sais qu'il a un acquéreur et que dans un moment...

Louise. — Il m'a tout expliqué. Où est-il ?

Mme DE LÉRÉ. — Il est allé fouiller au grenier. (*Silence*). J'étais en train de dire à Octave...

OCTAVE, *agacé*. — Mais oui ! Je vous ai répondu que je réfléchirais...

   (*Il s'éloigne vers les arbres et disparaît*).

Mme DE LÉRÉ. — Tu as vu maître Galuchon ?

LOUISE. — Oui. Naturellement, il m'a démontré qu'il fallait faire venir le médecin aliéniste de toute urgence.

Mme DE LÉRÉ. — C'est ce que nous pensions toutes les deux.

LOUISE. — Bien sûr. Faire interner Hector, c'est couper court à ses extravagances et sauver ce qui peut encore être sauvé. Quant à savoir s'il est vraiment fou, je suis loin de posséder une certitude.

Mme DE LÉRÉ. — Le médecin nous le dira.

LOUISE. — Oh ! Un médecin aliéniste est toujours prêt à reconnaître un fou. Et celui qui va venir tout à l'heure est un ami de Galuchon. Autant dire que son opinion sera faite avant d'avoir vu Hector.

Mme DE LÉRÉ. — Il faut reconnaître que la conduite de ton mari ne laisse guère de place pour le doute.

LOUISE. — Je ne suis pas de votre avis. Comment faire le départ entre la folie et l'exaltation ? D'un autre côté, si le docteur décrète qu'il est fou, qu'il faut l'interner, que faire ?

Mme DE LÉRÉ. — Bien sûr, c'est pénible.

(*Silence*).

LOUISE. — Vous sortez ?

Mme DE LÉRÉ. — Justement, je vais chercher le curé. J'ai pensé qu'il pouvait raisonner Hector, le persuader, le ramener à la sagesse.

LOUISE. — Hélas ! Mais vous avez raison, maman, il faut tout essayer.

Mme DE LÉRÉ. — J'y vais. Nous n'avons pas de temps à perdre.

(*Mme de Léré sort. Louise, à pas lents, se dirige vers la porte de l'hôtel*).

SCÈNE V

Clérambard, l'air égaré, sort de l'hôtel, tenant sous son bras un volumineux paquet d'où pend la queue d'un chien. En apercevant Louise, il pousse un cri.

CLÉRAMBARD. — Ah ! c'est vous, Louise.

LOUISE, *avec douceur.* — Vous avez l'air désemparé. Auriez-vous un ennui?

CLÉRAMBARD. — Non, rien. Je n'ai rien. Laissez-moi.

LOUISE. — Ne voulez-vous pas vous confier, me faire partager vos soucis? Je voudrais tant vous aider ! (*Après un silence, sur le ton de l'indignation*) : Hector ! Oh ! Hector, vous venez encore de tuer un chien !

CLÉRAMBARD. — Non ! Ce n'est pas vrai !

LOUISE. — Pourquoi niez-vous ? La queue de cette pauvre bête dépasse de votre paquet.

CLÉRAMBARD. — C'est le chien du curé... Non, justement, ce n'est pas le chien du curé. Ah ! je perds l'esprit.

LOUISE. — Remettez-vous, mon pauvre Hector.

CLÉRAMBARD. — Je viens de monter au grenier où je n'étais pas retourné depuis samedi et j'y ai trouvé le cadavre du chien que j'avais tué ce jour-là.

LOUISE. — Ah! bon, bon... Mais alors...

CLÉRAMBARD. — J'avais cru étrangler le chien du curé et c'était un autre chien qui lui ressemblait... ou même qui ne lui ressemblait pas...

LOUISE. — En somme, contrairement à ce que vous pensiez, il n'y a pas eu de miracle.

CLÉRAMBARD, *furieux, il s'assied sur une marche de la roulotte.* — Non, il n'y a pas eu de miracle! Vous voilà satisfaite? Allons, dites-le! Ne vous gênez pas!

LOUISE. — Hector, je comprends votre désarroi, mais la vérité n'est-elle pas toujours un bien? Prenez-en bravement votre parti : de ces soi-disant prodiges sur lesquels vous avez fondé toutes vos erreurs, il ne reste rien.

CLÉRAMBARD. — Comment ? Rien ?

LOUISE. — Mais non, rien. Vous pensez peut-être à l'apparition de saint François ? Du moment où elle n'est plus cautionnée par le miracle du chien ressuscité, il n'y a aucune raison d'y croire.

CLÉRAMBARD. — Mais enfin, ce moine, je l'ai vu, je l'ai entendu.

LOUISE. — Et après? Vous avez vu un moine qui vous a dit être saint François. Où est le prodige ? C'était peut-être un voisin dont vous aviez tué le chat et qui a voulu vous donner une leçon. Ou bien c'était tout simplement une illusion.

CLÉRAMBARD, *sortant un livre de sa poche, il se lève.* — Et ce livre? Vie de saint François d'Assise... Editions du Ciel !

LOUISE. — Je viens de voir le même dans la vitrine du libraire.

CLÉRAMBARD, *avec violence.* — Et la couverture portait la mention « Editions du Ciel » ?

LOUISE. — Parfaitement. Editions du Ciel.

CLÉRAMBARD, *il se rassied sur une marche de la roulotte.* — Ah ! vous aviez raison. Il ne reste rien. (*Rageur*): Rien ! rien ! rien !

LOUISE. — Hector, je vous vois effondré, mais si vous saviez à quel danger vous venez d'échapper, vous auriez sûrement moins de regrets.

CLÉRAMBARD. — De quel danger par-lez-vous ?

LOUISE. — J'ose à peine vous le dire... Quand vous avez parlé de ce miracle, personne n'y a cru.

CLÉRAMBARD. — Parbleu! Je l'ai bien vu. Vous me preniez pour un fou.

LOUISE. — C'est vrai, Hector. Moi-même, je craignais pour votre raison, à tel point que j'ai fait prier un méde-cin de passer vous voir. Il sera là tout à l'heure. (*Long silence*). Mettez-vous à ma place, Hector. S'il n'y avait eu que cette histoire de miracle, je ne me serais pas alarmée aussi facilement. Mais il y avait ce mariage avec une fille publique. Il y avait la vente de ce vieil hôtel que nous nous sommes acharnés durant tant d'années à disputer aux créanciers. Enfin, le départ en roulotte au hasard des chemins, cette vie de mendiants et de prêcheurs à laquelle vous nous condamniez. A eux seuls, des projets aussi extravagants suffisaient à nous faire douter de votre raison. (*Silence*). Vous ne dites rien. M'en voulez-vous encore ? (*Silence*).

CLÉRAMBARD. — Mais ces projets, qui vous dit que j'y ai renoncé ? Et pourquoi y renoncerais-je ? Oui, pourquoi? Pouvez-vous me le dire ?

LOUISE. — Voyons, Hector, soyez logique. Puisqu'il n'y a pas eu de miracle, il faut bien tirer les conséquences de la vérité.

CLÉRAMBARD. — Les conséquences ! Qu'est-ce que vous me chantez là ? Cette histoire de chien crevé n'a rien à faire avec le mariage d'Octave.

LOUISE. — Tout de même, je pense

qu'à présent, vous ne voyez plus la Langouste avec les mêmes yeux ?

CLÉRAMBARD. — Léonie reste pour moi ce qu'elle était tout à l'heure, une admirable fille de joie aux vertus éclatantes et qui nous honore tous en acceptant d'épouser notre fils. Et ça, c'est un fait.

LOUISE. — Hector ! Ayez pitié de votre femme ! C'est moi qui finirai par être folle ! Allez-vous me dire aussi que vous persistez dans cet absurde projet d'emmener votre famille dans une roulotte ? Hector !

CLÉRAMBARD. — Eh bien, oui, je persiste ! Est-ce donc si surprenant ? Ai-je besoin d'un miracle pour aimer mon prochain, pour le servir et pour l'aider à marcher dans les voies du Seigneur? Est-ce que la foi n'y suffit pas ? Vous n'avez pas l'air de comprendre ce que c'est que la foi.

LOUISE. — Mais la foi, comment vous est-elle venue ?

CLÉRAMBARD. — Que voulez-vous que ça me fasse ? J'ai la foi. Je ne veux rien savoir d'autre. Peu importe d'où elle me vient. Je crois en Dieu, je crois en Notre Seigneur, je crois à saint François d'Assise. Je sais qu'à l'heure de la défaillance, ils ne m'abandonneront pas. Je sais qu'ils ne dédaignent pas de se pencher sur ce misérable cœur où j'essaie de retenir l'espérance, la foi et la charité. En trouvant ce chien au grenier, j'ai eu un moment d'égarement, j'ai douté. En vous écoutant parler, je me regardais glisser au plus noir de l'abîme, et tout à coup je me suis senti arrêté dans ma chute, je me suis senti soulevé, hissé vers la vérité et vers la lumière. A présent, je remercie Dieu qu'il n'y ait pas eu de miracle. Heureux ceux qui n'auront pas vu et qui auront cru ! Le miracle, c'est qu'il n'y en ait pas eu et que ma foi s'en trouve affermie, exaltée. Ah ! je voudrais déjà être parti !

LOUISE. — Mon pauvre ami, vous oubliez qu'il faut compter avec les nécessités.

CLÉRAMBARD. — Je vais enterrer ce malheureux chien derrière la maison.

> (*Il prend son paquet qu'il avait posé sur les marches de la roulotte*).

LOUISE. — Hector, ne voulez-vous pas comprendre mon anxiété ?

CLÉRAMBARD. — Louise, ma chère femme, ma bien-aimée femme, je me suis trop souvent montré dur avec vous. Votre vie s'est écoulée dans la pauvreté, dans la peine, auprès d'un mari orgueilleux, borné et violent.

Louise. — Cette vie de peine, de pauvreté, nous l'avons partagée. Je ne voudrais pas en avoir vécu d'autre. Ce que vous appelez orgueil et violence, c'était votre courage, votre volonté de surmonter la mauvaise chance. Mais maintenant, Hector, maintenant !

Clérambard. — Vous avez beaucoup à me pardonner, Louise. Pourtant, je ne pense qu'à vous demander de nouveaux sacrifices. Et je vous aime tant que je n'en ai ni honte ni regret. Au contraire.

(Il s'éloigne vers le fond de la scène, entre la roulotte et l'hôtel. Tandis que Louise le suit, les trois filles Galuchon entrent par la droite).

Louise. — S'il ne s'agissait que de

moi, vous pensez bien que je ne m'inquiéterais guère...

> (*Clérambard et Louise disparaissent derrière la maison*).

SCÈNE VI

Les trois filles Galuchon s'arrêtent et regardent la roulotte. Entre Octave qui les épie, caché derrière un arbre.

ETIENNETTE. — C'est la fameuse roulotte... La Comtesse en parlait tout à l'heure à papa.

BRIGITTE. — Le comte est vraiment piqué.

> (*Les deux sœurs pouffent discrètement et, en compagnie d'Evelyne, s'approchent de la roulotte*).

EVELYNE. — Je ne vois pas ce qui

vous fait rire. Cette idée de partir en roulotte, je la trouve extrêmement poétique. L'espace, la solitude, la nature...

BRIGITTE. — Ah! non, je t'en prie, on n'est pas en visite. Ici, tu n'as personne à épater.

EVELYNE. — Mais je n'ai envie d'épater personne.

BRIGITTE. — Non ? Alors tu t'entraînes.

> (*Brigitte et Etiennette éclatent de rire*).

EVELYNE. — Vous êtes deux pauvres idiotes.

OCTAVE, *s'approchant des trois sœurs*. — Bonjour. Agréable surprise. Deux jours sans vous voir, je commençais à languir.

EVELYNE. — Ah! vicomte, bonjour.

Nous attendons papa qui s'est arrêté sur la place chez un client. Il vient faire une visite à vos parents.

Octave. — Mes parents vont être charmés. (*S'adressant à Brigitte, la plus jolie des trois sœurs*). Pour ma part, je le suis déjà. Vous vous intéressez à la roulotte ?

Brigitte. — Bien sûr...

(Elle pouffe).

Octave. — Elle vous fait rire ? (*Il s'approche de Brigitte*). Eh bien, riez, riez.

Evelyne. — Je disais justement à mes sœurs combien je trouve poétique l'idée de s'en aller ainsi dans une roulotte.

Octave. — Je la trouve surtout saugrenue. Ça vous amuserait de voir l'intérieur ?

ÉVELYNE. — Mon Dieu...

BRIGITTE. — Oh ! oui !

OCTAVE. — Comme la roulotte est très
encombrée pour l'instant, je vous la
ferai visiter chacune à votre tour. (*A
Brigitte*) Venez.

> (*Octave et Brigitte montent
> dans la roulotte*).

SCÈNE VII

*Evelyne et Etiennette restent côte à côte, le
dos tourné à la roulotte.*

ETIENNETTE. — Je trouve qu'il aurait
pu te faire monter la première.

ÉVELYNE. — Mais non. Nous ne sommes pas encore fiancés officiellement.

Il agit avec beaucoup de tact en faisant monter d'abord l'une de vous deux.

ETIENNETTE. — Tu crois qu'il va t'embrasser, quand vous serez dans la roulotte ?

EVELYNE. — C'est possible. Comme je dois devenir sa femme, je le subirai.

ETIENNETTE. — Tu veux dire que ça ne te fera pas plaisir ?

EVELYNE. — Oh! je n'éprouve aucune répulsion pour le vicomte. Mais j'en aime un autre.

ETIENNETTE. — Non ! Ça, par exemple... Mais qui est-ce ?

EVELYNE. — Un inconnu qui n'a de visage que pour moi... Un être sublime qui vit dans mes rêves et dans mes pensées. A la fois archange et démon, il est né de ma fièvre poétique...

ETIENNETTE. — Tu te fiches de moi, dis ?

> (*Un dragon entre à bicyclette et met pied à terre auprès des jeunes filles. Il est en petite tenue*).

LE DRAGON. — Je vous demande pardon. C'est bien ici la maison de monsieur Lamberget ?

EVELYNE. — Non. Vous êtes ici chez le comte de Clérambard.

LE DRAGON. — Ah ! dites donc... un comte... Si je comprends bien, c'est votre patron ?

EVELYNE, *sèchement*. — Non. Nous n'avons pas de patron.

LE DRAGON. — Oh ! Excusez... Remarquez, ça aurait pu se faire. Il y a des boniches aussi bien habillées que vous. Je dirais même... (*Silence*). Je vois par exemple chez le colonel... Il faut vous dire que je suis l'ordonnance du colonel... Vous avez peut-être entendu parler ? Colonel de Séroleuse. Il y a chez lui une petite bonne... Elle s'appelle Anna. (*A Etiennette*) Tenez, elle vous ressemble un peu.

ETIENNETTE, *riant.* — Vraiment ?

LE DRAGON. — Parole. Une jolie frimousse comme la vôtre. Et roulée, ce que j'appelle roulée. Eh bien, n'est-ce pas, voilà une personne qui porte la toilette dans la divinité. (*Un silence*). Vous sortez le soir ?

ETIENNETTE, *riant.* — Non.

LE DRAGON. — Remarquez que dans la journée, j'ai bien des moments de liberté.

ETIENNETTE. — Mais la petite bonne du colonel ?

LE DRAGON. — Elle est fière. Je dirais même qu'elle s'en croit un peu. Entre nous, mais alors entre nous, je crois que c'est monsieur Armand qui s'en occupe.

EVELYNE. — Qui est monsieur Armand ?

(*M⁰ Galuchon entre par la droite. En voyant ses filles avec un dragon, il a un haut-le-corps*).

LE DRAGON. — Monsieur Armand, le fils du colonel. Tenez, pas plus tard qu'hier, je les ai surpris dans un couloir de la maison. Comme ça, il la tenait...

(*Le dragon enlace Etiennette et l'embrasse. Elle se défend en riant*).

M⁰ GALUCHON, *il arrive en courant.* — Hé là! militaire! Allez-vous lâcher cette jeune fille !

Le dragon, *lâchant Etiennette*. — Vous êtes peut-être monsieur Lamberget ?

Me Galuchon. — Non ! Mais vous, vous êtes un voyou et un sacripant, indigne de porter l'uniforme !

Le dragon. — Qu'est-ce que c'est que ces boniments-là ? Vous êtes saoul ?

Me Galuchon. — Comment ! Vous osez porter la main sur mes filles, et non content, vous m'insultez ! Ça vous coûtera cher, mon garçon.

Le dragon. — Fallait le dire tout de suite que c'étaient vos filles. Remarquez qu'on ne faisait rien de mal.

Me Galuchon. — Au contraire, n'est-ce pas ? Salaud ! Allez, décampez !

Le dragon, *enfourchant sa bécane*. — Je n'ai pas de conseil à vous donner,

mais vous avez tort de me traiter
comme ça. Parce que, dites-vous bien
une chose, c'est que je suis célibataire
et que, dans le civil, j'ai un métier.

Mᵉ GALUCHON. — Fichez-moi le camp!

LE DRAGON, *il s'éloigne à bicyclette.* —
Je reviendrai !

(*Il sort.*)

Mᵉ GALUCHON, *à ses filles.* — Qu'est-ce
que c'est que cette histoire ? Comment
avez-vous connu ce dragon ? Je veux
tout savoir, de A jusqu'à Z, vous m'entendez ? Vous aviez rendez-vous, n'est-
ce pas ?

ETIENNETTE. — Mais non. Il est venu
nous demander un renseignement.

Mᵉ GALUCHON. — Un prétexte.

ETIENNETTE. — Il s'est mis à parler
de son colonel, de la bonne de son colo-

nel et il a essayé de m'embrasser. C'est
tout.

Mᵉ GALUCHON. — C'est tout ? Ce n'est
peut-être pas suffisant ? Ainsi, on ne
peut pas vous laisser seules un quart
d'heure sans que tous les voyous de la
ville soient aussitôt à vos jupes ? Vous
avez donc le vice dans la peau, toutes
les trois ?... Mais... où est Brigitte ?

EVELYNE. — Elle visite la roulotte
avec le vicomte.

Mᵉ GALUCHON. — Pourquoi n'êtes-
vous pas avec eux ?

EVELYNE. — Le vicomte a expliqué
que la roulotte était trop encombrée et
qu'il ne pouvait nous faire monter
qu'une par une.

Mᵉ GALUCHON. — Ah ! ça !

(*Il court à l'escalier de la roulotte*).

SCÈNE VIII

Louise et Clérambard apparaissent au fond de la scène, au coin de la maison, tandis que M⁰ Galuchon monte dans la roulotte.

LOUISE. — J'ai bien peur que la foi et la charité n'aient jamais chez moi cette ardeur et cette violence de la passion...

(*Louise s'interrompt et regarde la roulotte*).

VOIX DE M⁰ GALUCHON, *venant de l'intérieur de la roulotte.* — Misérable ! Criminelle ! Fille perdue ! Elle n'a même pas pensé à son père ! Ah ! la chienne! Je voudrais l'avoir assommée, pendue, étranglée ! Sortiras-tu ? (*Bruit de gifles*). Idiote !... Et vous, crapule, vous aviez calculé votre affaire, n'est-ce pas ? Vous êtes un vaurien et un suborneur !

> *(Brigitte descend de la roulotte en sanglotant).*

CLÉRAMBARD. — Mais qu'est-ce qui se passe ?

> *(La tête d'Octave apparaît à la fenêtre de la roulotte. Il a un sourire ironique et satisfait).*

Me GALUCHON, *apparaissant au seuil de la roulotte.* — Il se passe que votre fils vient de déshonorer ma cadette, là, dans la roulotte, et je peux même dire sous mes yeux.

LOUISE. — Et vous n'avez rien fait pour l'en empêcher ?

Me GALUCHON. — Mais je suis arrivé trop tard ! Le déshonneur était consommé. Ah! je suis désespéré, je ne survivrai pas à ma honte. Si encore c'était Evelyne ! Mais il a choisi la plus jolie. Naturellement.

CLÉRAMBARD. — Octave ! Allons, descendez de la roulotte et pressez-vous ! (*Octave apparaît à l'entrée de la roulotte et descend les marches*). Ici, gredin, voyou, scélérat ! Ainsi, vous avez trahi votre fiancée, vous avez osé lui faire cet affront ? Mais vous êtes donc possédé du démon !

OCTAVE, *baissant la tête*. — Ah ! punissez-moi, frappez-moi ! Je suis un misérable. J'ai cédé à un malheureux entraînement et maintenant je suis dévoré de honte et de regrets. Je voudrais me battre moi-même. Tenez, je voudrais mourir.

LOUISE, *à mi-voix*. — Octave, ne jouez pas la comédie. C'est odieux.

CLÉRAMBARD. — Allons, mon fils, il ne faut pas désespérer de la miséricorde divine. Puisque vous vous repentez sincèrement, vos péchés vous seront remis. Et Léonie Vincent vous pardonnera. Et Mᵉ Galuchon vous pardonnera aussi. (*A Mᵉ Galuchon, avec un sourire attendri*). Il se repent.

Mᵉ GALUCHON. — Je me fiche de son repentir. Ce n'est pas ça qui arrangera les choses.

OCTAVE. — Oh ! Je suis prêt à réparer.

Mᵉ GALUCHON. — Naturellement. C'est commode.

LOUISE. — Je ne pense pas qu'il y ait autre chose à faire.

CLÉRAMBARD. — Moi non plus.

Mᵉ GALUCHON, *rageur*. — Bien sûr !
(*A Octave*). Vous êtes content, hein ?
Mais n'attendez pas que la dot soit aussi
importante que celle qu'aurait eue Evelyne.

CLÉRAMBARD. — La dot ? Mais nous
ne voulons pas un sou. Octave et
sa femme vivront avec nous dans
la roulotte et n'auront que faire d'une
dot.

LOUISE. — N'exagérons rien, Hector.
Nous ne pouvons pas imposer à une
enfant aussi jeune un genre d'existence dont elle souffrirait sûrement.
Ce serait méconnaître l'importance des
responsabilités d'Octave.

Mᵉ GALUCHON. — Bien sûr qu'il ne
peut pas être question de faire vivre
ma fille dans une roulotte. Pourtant,
elle le mériterait bien !

SCÈNE IX

Les bras chargés d'objets hétéroclites, La Langouste débouche de l'hôtel.

La Langouste. — Vous voyez que dans votre grenier, il n'y a pas que des chiens crevés. (*En arrivant près de la roulotte, elle laisse tomber son fardeau*). Regardez ça : un manteau de cocher du temps de ma grand'mère, une lanterne, une bâche pour abriter le canasson, un moule à gaufres pour les jours de fête, un collier de cheval, une gourde, un harmonica.

(*Elle souffle dans l'harmonica*).

Clérambard. — Ma chère enfant, j'ai à vous apprendre une pénible nouvelle.

La Langouste. — A moi ?

Clérambard. — Pendant que vous

étiez au grenier, Octave a trahi votre amour et votre confiance.

Mᵉ GALUCHON. — Vous n'allez tout de même pas lui dire...

CLÉRAMBARD. — Elle a le droit de tout savoir. Léonie, votre fiancé s'est laissé terrasser par le démon de la concupiscence. Il a commis le péché de chair avec cette jeune fille.

LA LANGOUSTE. — Dites donc, mais il se dessale.

LOUISE, *à Hector, en montrant Brigitte qui sanglote.* — Vous voyez tout le chagrin qu'elle en a. Vraiment, vous auriez mieux fait de ne rien dire.

CLÉRAMBARD. — Lui pardonnerez-vous un jour ?

LA LANGOUSTE. — Cette question ! Moi, je ne cherche pas la petite bête.

Un caprice comme ça, en passant, ce n'est pas ce qui engage la vie.

CLÉRAMBARD. — Malheureusement si. Octave est tenu de réparer.

LA LANGOUSTE. — Réparer quoi ?

CLÉRAMBARD. — Il a péché avec cette jeune fille. Il doit l'épouser.

LA LANGOUSTE. — Dites donc, mais il a péché aussi avec moi.

CLÉRAMBARD. — Comment ? Octave vous a manqué de respect ?

LA LANGOUSTE. — Depuis dix ans qu'il attendait, il avait des excuses. N'empêche. J'ai la priorité.

LOUISE. — Ce n'est pas la même chose. (*Montrant Brigitte*). Elle est si jeune. C'est une enfant.

LA LANGOUSTE, *après un silence.* — D'accord. (*A Octave*). Puisque c'est ça,

tu me dois cent sous. Et tu as de la
chance que je ne t'aimais pas pour de
vrai, parce que j'aime mieux te dire
que ça ne se passerait pas comme ça,
que je t'aurais déjà filé une leçon de
maintien. Mais pour la Langouste, des
tocards comme toi, c'est de la petite
espèce, c'est du moins que rien, du dé-
chet... Quand même, si j'ai un conseil
à te donner, c'est de ne pas rester là
devant moi, mais d'aller ailleurs te
faire voir et tout de suite. (*D'une voix
dure*). T'as compris, tocard ?

> (*Son visage et son attitude
> sont menaçants*).

Octave, *qui prend le large*. — C'est
bon, je ne veux pas faire d'histoire.

Louise, *à M⁰ Galuchon*. — Allons-
nous-en. Nous avons à parler. Venez,
jeunes filles.

> (*Tous entrent dans l'hôtel à la*

*suite de Louise, sauf Clérambard
et la Langouste qui restent
seuls).*

Etiennette. — Alors, nous, on ne la
visite pas, la roulotte ?

SCÈNE X

La Langouste. — Je n'ai plus rien à
faire ici.

Clérambard. — Comment ! Mais
vous avez tout à faire. J'ai besoin de
vous. Nous avons tous besoin de vous !
Pensez que dans un quart d'heure,
nous partons.

La Langouste. — Vous êtes gentil,
mais je n'ai plus de raison de partir
avec vous.

CLÉRAMBARD. — Octave ne méritait pas d'avoir une femme telle que vous. N'y pensez donc plus.

LA LANGOUSTE. — Si je pouvais... A vous, je peux bien le dire, Octave, je l'aimais. Vous me direz, je ne suis qu'une putain, vous n'aurez pas tort, mais je l'aimais quand même... Il y avait aussi l'idée du mariage qui me trottait par la tête, l'idée de faire une fin pendant qu'il était encore temps.

CLÉRAMBARD. — Ce que je vous propose, Léonie, ce n'est pas une fin. C'est un commencement.

LA LANGOUSTE. — Bien sûr, je ne dis pas... Remarquez que la Vierge, les anges, le bon Dieu, je serais plutôt pour. Mais je n'y crois guère...

CLÉRAMBARD. — Ayez confiance. Vous avez découvert le petit pauvre d'Assise.

Vous découvrirez Dieu... (*Comme la Langouste se baisse pour ramasser le manteau de cocher, il l'en empêche*). Laissez. Je vais monter tout ça dans la roulotte.

(*Tandis que Clérambard monte dans la roulotte, la Langouste s'essuie les yeux et s'en va pleurer derrière la roulotte. Entrent Mme de Léré et le curé du premier acte*).

Mme DE LÉRÉ. — Octave prétend que c'est en lisant la vie de saint François d'Assise que lui sont venues ces idées bizarres.

LE CURÉ. — Je suppose que le comte a été touché par la grâce. Evidemment, c'est ennuyeux.

Mme DE LÉRÉ. — Oh ! monsieur le curé !

LE CURÉ. — Je veux dire que s'il faut s'en féliciter pour lui-même, on doit admettre qu'il est en train d'en faire un mauvais usage pour les autres. La grâce ne dispose pas forcément à l'apostolat.

Mme DE LÉRÉ. — Si vous pouviez le remettre dans le bon chemin...

LE CURÉ. — Vous me proposez une tâche difficile. Ce n'est pas une position avantageuse que d'avoir à combattre les bons sentiments dans le cœur d'un homme. Enfin, je ferai de mon mieux. (*Apercevant Clérambard qui descend de la roulotte*). Ah ! monsieur le Comte !

CLÉRAMBARD. — Bonjour, Curé. Vous savez la nouvelle ? Il se prépare un orage d'amour qui va crever sur le monde.

Le Curé. — On m'a fait part de vos projets. Je vous avoue qu'ils m'inquiètent. Faire vœu de pauvreté quand on a la charge d'une famille ne me semble pas un parti très sage. J'ose en effet vous rappeler que vous vous trouvez dans une situation matérielle des plus difficiles.

(*Mme de Léré s'éloigne vers la gauche*).

Clérambard. — Au contraire, elle est des plus faciles. Je suis déjà pauvre et je ne rêve qu'à être plus pauvre encore. J'ai hâte d'user mes vêtements, mes souliers, d'être affamé et grelottant. Ah ! n'avoir rien à soi ! être tout nu et crier sur les places : Venez à Jésus ! Venez à Dieu ! Venez avec vos enfants ! avec vos femmes ! avec vos amants ! avec vos bestiaux ! N'oubliez

ni vos canaris, ni vos pékinois ! Tous à
Jésus !

(*La Langouste monte dans la
roulotte*).

Le Curé. — Votre zèle m'apparaît
des plus respectables, mais prenez garde
d'être présomptueux. Rien ne vous a
préparé à la tâche que vous prétendez
assumer. Vous pouvez vous tromper et
entraîner les autres dans l'erreur.

Clérambard. — Même si je reste fidèle, humblement fidèle à l'enseigne-
ment de l'Evangile ?

Le Curé. — Malheureux ! Comment
saurez-vous si vous lui êtes fidèle ?
L'Evangile est une nourriture qui a besoin d'être accommodée, comme toutes
les nourritures. Et l'Eglise, seule, a
compris la nécessité de protéger les fi-
dèles contre la parole du Christ. Elle
seule sait les retenir sur la pente des
interprétations dangereuses.

CLÉRAMBARD. — Je n'ai pas l'intention de me priver des lumières de l'Eglise.

LE CURÉ. — Tant mieux. Mais l'Eglise se méfie des francs-tireurs et à juste titre. D'autre part, en ce qui concerne les miracles...

CLÉRAMBARD. — Vous avez raison, je m'étais trompé. Il n'y a pas eu de miracle.

LE CURÉ. — Ah ! Vous n'y croyez plus !

CLÉRAMBARD. — Non, pas à celui-là, mais je crois aux miracles passés et à venir, car il y en aura encore, j'en suis sûr. Il y en aura jusqu'à la fin des temps. Et je ne désespère pas qu'un jour Dieu me favorise d'un miracle. Ce n'est pas que j'en aie besoin pour assurer ma foi. Je n'en suis plus là.

Mais je voudrais pouvoir en témoigner
à la face du monde ! Ah ! de quelle ardeur je témoignerais ! Ce miracle-là,
je le proclamerai d'un bout à l'autre
de la terre, par les villes et par les cam-
pagnes ! Et on m'entendra gueuler
dans les rues et aux carrefours et sur
les places ! J'en étourdirai les passants,
les hommes et les femmes, les curés
aussi ! Et pour ceux qui oseraient douter, pour ceux qui oseraient ricaner, je
me charge de leur frotter les oreilles !

Le Curé. — Vous ne changerez jamais. Ni la foi, ni la charité, ni François d'Assise n'y feront rien. Vous res-
terez l'homme violent, excessif, intran-
sigeant, que vous avez toujours été.
C'est ce qui me fait peur pour vous,
monsieur le Comte. Qui sait si vous
n'allez pas, dans un mouvement de
charité inconsidéré, vous enflammer
pour des idées soi-disant généreuses et,
disons le mot, révolutionnaires ?

CLÉRAMBARD. — Pourquoi pas ? Il y a tant d'injustice dans le monde !

LE CURÉ. — J'en étais sûr ! Vous voilà déjà parlant justice et injustice ! Sachez-le, Notre Seigneur lui-même ne fondait aucune espérance sur la justice de ce bas-monde. Ce n'est que dans l'au-delà que la veuve et l'orphelin peuvent compter sur Lui.

CLÉRAMBARD. — Curé, vous êtes en train d'interpréter les Evangiles. (*Il se tourne vers la gauche*). Louise ! Il est temps de nous préparer.

LE CURÉ. — Monsieur le Comte, je crains bien qu'à votre insu, le démon de l'orgueil ne se dissimule déjà derrière vos bonnes intentions.

CLÉRAMBARD. — Est-ce que Dieu, dans le cœur des hommes, ne réserve pas toujours la part du démon ?... Ah ! voilà le docteur... Cher docteur...

SCÈNE XI

*Le docteur, entrant par la droite, vient à Clé-
rambard. Louise et M⁰ Galuchon entrent par
la gauche. Viendront ensuite Mme de Léré et
les trois filles Galuchon, puis Octave, tandis
que La Langouste descendra de la roulotte.*

LE DOCTEUR. — Bonjour, monsieur
le Comte. Comment vous portez-vous ?

CLÉRAMBARD. — Bonjour, docteur.
Je me porte bien. Je me porte même
tout à fait bien.

LE DOCTEUR. — Je vous trouve pourtant mauvaise mine, comme si vous
étiez surmené.

CLÉRAMBARD. — Je suis en effet surmené et plus encore que vous ne pensez.

LE DOCTEUR. — Je suppose que les

soucis ne vous manquent pas. On m'a
dit que vous pensiez à marier votre
fils ?

> (*Le dragon cycliste entre par
> la gauche et met pied à terre
> près d'Octave*).

CLÉRAMBARD. — C'est-à-dire qu'il
avait eu la chance de découvrir une
femme exceptionnelle, un trésor d'humilité, qui couchait avec les soldats
pour cent sous. (*Il soupire*). Cent sous !
Ah ! c'était bien la bru rêvée !

LE DOCTEUR. — En effet !

CLÉRAMBARD. — Vous êtes de mon
avis, n'est-ce pas ? J'en suis heureux,
docteur. Et c'est aussi votre opinion
que je suis un dément ? Vous pensez
qu'il faut qu'un homme soit hors de
sens pour vouloir marier son fils à une
prostituée, pour refuser la fortune et
vouer sa famille à la mendicité ? Eh

bien, vous avez raison, docteur. Je suis
fou... Oui, je suis fou d'espérance ! Je
suis fou d'amour ! Je me sens brûler
d'une tendresse insensée pour tout ce
qui vit, pour tout ce qui souffre et qui
frémit dans ce monde et dans l'autre !
Il me semble que ma poitrine de brute
n'est plus assez large pour contenir ce
grand amour de Dieu et de ses créatures ! D'avoir tant rêvé au petit pauvre d'Assise, la folie est entrée en moi !
Je me suis donné à Jésus et je suis fou
d'amour !

> (*Il est immobile, tourné vers
> la droite, et ses lèvres continuent
> à remuer*).

Le Docteur, *à Louise*. — Votre mari
est très atteint : Mythomanie, perver-
sion mentale, régression anormale de
l'instinct de propriété, confusion des
valeurs sociales... C'est très grave.

Louise. — Non, docteur, vous vous

trompez, vous ne comprenez rien au changement qui s'est opéré en lui dans ces derniers jours...

(*Clérambard a un mouvement de stupeur*).

CLÉRAMBARD, *criant*. — Regardez ! Le petit pauvre d'Assise dans sa robe de sainteté ! Deux anges se tiennent à ses côtés !

(*Il tombe à genoux. — A l'exception du médecin et du curé, tous les assistants poussent un cri et tombent à genoux, les mains jointes*).

LE DOCTEUR, *au curé*. — Qu'est-ce qui se passe ? (*Souriant*). C'est une folie contagieuse.

(*Il se retourne et à son tour tombe à genoux*).

LE CURÉ. — Mais je ne vois rien du

tout... Et moi qui ai la vue basse, j'ai justement oublié mes lunettes... Au fait, tiens, c'est ce que je dirai à Monseigneur... que j'avais oublié mes lunettes. Excellente idée... Mais je me demande ce qu'ils peuvent bien voir.

(*Cependant, on entend le bruit que font les sabots d'un cheval*).

LE CURÉ. — Je vais tout de même m'approcher... Je ne vois toujours rien.

(*Le curé fait quelques pas en avant. Les assistants lèvent les yeux comme s'ils suivaient du regard une ascension*).

CLÉRAMBARD. — Adorable vision ! Le plus doux des serviteurs de Dieu, le plus humble et le plus glorieux des pauvres bénissant notre roulotte de mendiants.

LE DRAGON. — Vous avez vu les anges ? Ils ont attelé le cheval à la roulotte.

La Langouste. — Et le cheval, il a mangé dans la main du petit pauvre d'Assise.

Octave. — Et le saint lui a caressé l'encolure.

Louise. — A présent, tout est clair, tout est simple. Moi aussi, j'ai hâte d'être pauvre et de prêcher l'amour.

Clérambard. — Debout ! Allons témoigner ! (*Les assistants se lèvent et se dirigent vers la roulotte*). Pressez-vous. Si les anges ont eux-mêmes attelé le cheval, c'est qu'il nous faut partir sans tarder.

Mme de Léré. — Gendre, vous êtes un être exquis.

(*Louise monte dans la roulotte, puis les filles Galuchon et*

Mme de Léré. Comme Octave paraît hésitant, son père le pousse un peu rudement. Suivent le docteur et la Langouste).

LE DRAGON. — Dites donc, mais je n'ai pas de permission, moi.

CLÉRAMBARD. — Dieu y pourvoira !... Allons, vite, ne lambinons pas.

Me GALUCHON. — Et ma femme ?

CLÉRAMBARD. — Nous la prendrons en passant.

(Tout le monde est monté, sauf Clérambard. A la fenêtre de la roulotte apparaissent les visages extatiques de Mme de Léré et du dragon. La Langouste, après avoir ôté l'escalier, s'assied à l'arrière, les pieds pendants, Louise est debout derrière elle. Clérambard s'en va vers le cheval).

Le Curé, *demeuré à l'écart.* — Singulier chargement. Un dragon, une fille publique, un avoué sans aveu, un docteur à moitié fou... Les emportements de la foi et de la charité, c'est très joli, mais je voudrais bien savoir ce que ce mélange-là aura donné dans un mois.

Voix de Clérambard, *à l'avant.* — Ioup ! hue !

(*La roulotte s'ébranle. Clérambard vient la pousser à l'arrière. Ramage d'oiseaux. La roulotte sort*).

RIDEAU

LA PRÉSENTE ÉDITION (3ᵉ TIRAGE), A ÉTÉ
ACHEVÉE D'IMPRIMER SUR LES PRESSES
DE L'IMPRIMERIE MODERNE, 177, AVENUE
PIERRE - BROSSOLETTE, A MONTROUGE
(SEINE), LE SEIZE FÉVRIER MIL NEUF
CENT CINQUANTE ET UN.

Dépôt légal : 2ᵉ trimestre 1950
Nº d'édition : 650 — Nº d'impression : 1535

Durand, 18, rue Séguier - Paris.

MARCEL AYMÉ

Clérambard

Pièce en quatre actes

GRASSET